LE GUIDE 2018
DES MÉCHANTS RAISINS

LE GUIDE 2018
DES MÉCHANTS RAISINS

Patrick **Désy** Élyse **Lambert** Mathieu **Turbide**

Éditrice : Mylène Des Cheneaux
Coordination éditoriale : Ariane Caron-Lacoste
Direction artistique : Johanna Reynaud
Mise en page et graphisme : Nathalie Samson

Catalogage avant publication de Bibliothèque et Archives nationales du Québec et de
Bibliothèque et Archives Canada
Désy, Patrick, 1975-
            Les méchants raisins 2018 : les meilleurs vins pour toutes les occasions
            Comprend un index.
            ISBN 978-2-89761-058-6
            1. Vin - Guides, manuels, etc. 2. Accord des vins et des mets. I. Lambert, Élyse. II.
Turbide, Mathieu, 1970-   . III. Langlois, Claude, 1948-   . IV. Titre. V. Titre : Meilleurs vins pour
toutes les occasions.
TP548.2.D47 2017   641.2'2   C2017-941894-7

Les éditions du Journal
Groupe Ville-Marie Littérature inc.*
Une société de Québecor Média
1055, boulevard René-Lévesque Est, bureau 300
Montréal (Québec) H2L 4S5
Tél. : 514 523-7993 Téléc. : 514 282-7530
Courriel : info@leseditionsdujournal.com
Vice-président à l'édition : Martin Balthazar

Distributeur
Les Messageries ADP inc.*
2315, rue de la Province
Longueuil (Québec) J4G 1G4
Tél. : 450 640-1234 Téléc. : 450 674-6237
*filiale du Groupe Sogides inc.,
filiale de Québecor Média inc.

leseditionsdujournal.com

Sommaire

Listes alcools et bières

Listes insolites

MATHIEU TURBIDE
LE CHASSEUR DE BONNES AFFAIRES

Le Méchant Raisin «original», journaliste, chroniqueur et blogueur depuis plus de 20 ans. Il aime les vins qui en donnent beaucoup pour le prix, les vins de tous les jours pour lesquels on ne se ruine pas.

PATRICK DÉSY
LE PASSIONNÉ DE GRANDES BOUTEILLES

Baignant dans le vin depuis sa tendre enfance, Patrick a la chance de goûter à des vins rares et souvent fabuleux. Il sait distinguer les bons vins des imposteurs. Quand il ne déguste pas, il a rarement la langue dans sa poche.

ÉLYSE LAMBERT
LA CHAMPIONNE SOMMELIÈRE

Cinquième meilleure sommelière du monde en 2016, meilleure sommelière du Canada en 2015 et première femme à détenir le titre de Master Sommelier au Canada, Élyse est une vraie championne pour qui le vin n'a pas de secret. Dégustatrice redoutable, elle sait marier les vins et les mets comme pas une. C'est la « gentille » du groupe.

LA MÉTHODE
« MÉCHANTS RAISINS »

1. À L'AVEUGLE, À L'ANONYME... ALOUETTE !

La plupart des vins que nous vous proposons ont été dégustés à l'aveugle, sans que nous sachions quels vins nous ont été servis. Parfois, les vins étaient regroupés par thèmes (par exemple : chardonnays ou vins d'assemblage à la bordelaise). En d'autres occasions, les vins ont été testés « à l'anonyme », c'est-à-dire que nous connaissions les vins, mais pas l'ordre dans lequel ils nous ont été servis. D'autres vins ont été dégustés lors de rencontres avec des producteurs, des vignerons ou des agences. Enfin, comme tout le monde, nous buvons régulièrement avec des amis ou avec la famille sans jouer aux devinettes

2. DES POTS-DE-VIN ?

Plusieurs vins commentés nous ont été fournis gracieusement par des agences représentant des producteurs de vins ou, plus rarement, directement par des producteurs en guise d'échantillons. C'est comme ça que la majorité des critiques, journalistes spécialisés et sommeliers réussissent à couvrir la plupart des vins disponibles à la SAQ. Cela dit, en tant que Méchants Raisins «amateurs de vins professionnels», nous achetons aussi beaucoup de vins, au point d'en faire un poste budgétaire important dans nos budgets familiaux. Mais au final, qu'un vin soit acheté ou fourni par un producteur ne change rien à l'appréciation que nous en faisons, pas plus qu'un critique de cinéma ne donnerait 5 étoiles à un film parce qu'il a assisté à une représentation gratuite pour la presse.

3. AH, LES NOTES...

Les vins sont notés sur 5 étoiles, comme nous le faisons depuis des années dans les pages du *Journal de Montréal* (et comme le font plusieurs de nos collègues). Puisqu'on se permet des demi-étoiles, ça revient à dire que nous notons les vins sur une échelle de 0 à 10. Nous ajoutons aussi toujours à la note une indication sur le prix du vin, représenté par des symboles de dollar ($). Cela permet de se faire rapidement une idée sur le rapport qualité-prix des vins commentés. Si un vin a obtenu plus d'étoiles (★) que de symboles de dollar ($), c'est un très bon rapport qualité-prix ; s'il a autant d'étoiles que de dollars, c'est qu'il vaut son prix ; s'il a moins d'étoiles que de dollars, c'est que le vin est trop cher.

Voici les échelles que nous avons utilisées :

Pour le prix

0 à 12 $ = | **$**

12 à 17 $ = | **$½**

17 à 22 $ = | **$$**

22 à 27 $ = | **$$½**

27 à 32 $ = | **$$$**

32 à 37 $ = | **$$$½**

37 à 45 $ = | **$$$$**

45 à 60 $ = | **$$$$½**

+ de 60 $ = | **$$$$$**

Pour l'appréciation du vin

Aucune étoile : mauvais vin

⸙ : vin sans intérêt

★ : vin moyen

★⸙ : vin correct, agréable, mais sans plus

★★ : assez bon vin

★★⸙ : bon vin

★★★ : très bon vin

★★★⸙ : excellent vin

★★★★ : grand vin

★★★★⸙ : très grand vin

★★★★★ : vin exceptionnel

Évidemment, aucun système de notation n'est parfait. Par exemple, avec ce système, pratiquement aucun vin de plus de 60 $ ne peut représenter un bon rapport qualité-prix, à moins d'être purement exceptionnel. Pourtant, un excellent vin de 75 $ peut être une aubaine par rapport à un grand cru classé décevant vendu 600 $. Mais il fallait bien tracer la ligne quelque part. Et, de toute manière, la grande majorité des vins que nous commentons sont en deçà de 60 $ la bouteille.

Enfin, il faut comprendre que nous notons les vins dans l'absolu, et non pas dans leur catégorie. Cela veut dire que les vins sont tous jugés de façon équitable. Si un vin a deux étoiles, c'est qu'il mérite deux étoiles. On ne donnera pas quatre étoiles à un vin pour le récompenser, par exemple, d'être le meilleur pinot noir à moins de 20 $. Il peut très bien être le meilleur de sa catégorie avec deux étoiles et demie. Nous voulons ainsi être plus justes et éviter de donner une note trop forte à un vin et ainsi vous laisser croire qu'un vin honnête de 15 $ est aussi bon qu'un grand cru du Médoc.

4. À PROPOS DU SUCRE DANS LE VIN

Lorsque la donnée est disponible, nous indiquons le taux de sucres résiduels réducteurs présents dans chaque vin. Nous croyons que c'est pertinent puisque de plus en plus de vins habituellement « secs », même des rouges, affichent maintenant des taux de sucres résiduels dépassant les 10 grammes par litre (un vin est considéré comme sec lorsqu'il contient moins de 4 grammes de sucre par litre). Certains aiment ça, alors que plusieurs ne jurent que par les vins secs.

5. OÙ TROUVER LES VINS COMMENTÉS ?

La majorité des vins commentés ont été dégustés au cours de l'été 2017, juste avant de mettre sous presse. Nous avons eu accès à des vins dont les millésimes les plus récents n'étaient pas encore sur les tablettes de la SAQ, mais qui arriveront au cours de l'année. Plusieurs vins sont généralement toujours disponibles dans la plupart des succursales de la SAQ, mais d'autres arrivent par lots plus restreints et ne seront peut-être plus disponibles au moment où vous lirez ce livre. Lorsque les vins sont généralement difficiles à trouver, nous vous l'indiquons. Utilisez le code indiqué dans chaque description de vin pour le chercher sur le site Internet de la SAQ. Vous pourrez aussi savoir combien de bouteilles il en reste dans le réseau et voir dans quelles succursales les trouver.

SUIVEZ-NOUS DANS
Le Journal de Montréal et
Le Journal de Québec et
sur le **blogue** des
MÉCHANTS RAISINS !

Si vous avez ce livre en main, c'est que vous aimez le vin. Et si vous aimez le vin, nous vous invitons à nous lire chaque semaine dans *Le Journal de Montréal* et *Le Journal de Québec*, de même que sur notre blogue Les Méchants Raisins (www.journaldemontreal.com/blogues/mechantsraisins). Vous y retrouverez nos chroniques, nos conseils et nos critiques sur les arrivages les plus récents et les aubaines du moment.

Suivez-nous aussi sur Facebook (www.facebook.com/mechantsraisins) et sur Twitter (@MechantsRaisins).

N'hésitez pas à communiquer avec nous sur les réseaux sociaux pour poser vos questions, nous mettre sur la piste d'un de vos coups de cœur ou partager plus librement sur le monde du vin !

5 VINS POUR VOUS FAIRE DÉCOUVRIR LA GRÈCE

PAR
ÉLYSE
LAMBERT

Le Grèce, pays où mer et montagnes se côtoient, est une destination de vacances par excellence où l'accueil des Grecs, ses îles paradisiaques et les plaisirs de la table ne manqueront pas de vous charmer.

Depuis quelques années, ce pays nous propose de plus en plus des vins faciles à aimer, tout en étant exotiques de par leur cépage ou leur région. La production de vin blanc domine et les cépages indigènes (lire ici natifs de la région) — malagousia, assyrtico et moscofilero — sont les vedettes du moment. Les cépages rouges à ne pas manquer sont l'agiorgitiko, bien gourmand et fruité, et le très caractériel xynomavro.

Estate White, Epanomi IGP 2016

Domaine Gerovassiliou, Grèce

18,65 $
★★★ | $$

12,5 % | n.d. g/l
Code SAQ 10249061

Le malagousia, cépage du nord de la Grèce, pousse non loin de Thessalonique, deuxième ville en importance du pays. Le malagousia a été sauvé de l'extinction par Evangelo Gerovassiliou. C'est le cépage phare du domaine éponyme. Il est ici assemblé à de l'assyrtico, le cépage chouchou de mes amis sommeliers. Ce dernier est acide et fait contrepoids au malagousia. Fruité et charmeur, très floral et frais, le vin est droit et élégant. Ses notes de citron, d'ananas, de citronnelle et sa petite pointe d'herbes fraîches en font le compagnon idéal de votre prochain ceviche. Si vous aimez les plats parfumés à la coriandre, il sera tout à fait de mise.

Assyrtico / Sauvignon blanc 2016

**Biblia Chora,
Pangeon, Grèce**

19,70 $
★★★ | $$

13 % | 4 g/l
Code SAQ 11901138

Le domaine Biblia Chora est situé sur la portion terrestre de la Grèce à environ deux heures à l'est de la ville de Thessalonique. Le vin est élaboré à partir d'assyrtico, un cépage natif de l'île de Santorini, qu'on a assemblé à du sauvignon blanc. Si le sauvignon apporte les notes aromatiques à ce vin, l'assyrtico offre de son côté cette superbe acidité qui garde la bouche bien fraîche. Ce produit fait partie de mes favoris de cette région depuis déjà quelques années et il a eu un franc succès auprès des gens avec qui je l'ai partagé. L'essayer, c'est l'adopter.

Moschofilero 2016

**Domaine
Tselepos,
Mantinia, Grèce**

17,50 $
★★↗ | $$

12 % | 2 g/l
Code SAQ 11097485

Le moschofilero est un cépage qui malgré sa consonance n'a rien à voir avec le muscat. Sa peau rose et ses notes florales en font un cépage unique. L'appellation Mantinia, qui se situe en Péloponnèse à environ 2 heures d'Athènes, est son terroir de prédilection. Des notes de rose, de pivoine, d'acacia et de miel font place à une bouche au léger perlant (une mini effervescence) qui apporte de la fraîcheur. Si vous aimez les vins aromatiques, comme le muscat ou le sauvignon blanc de Nouvelle-Zélande, vous allez vous régaler. Il est l'apéritif parfait.

Jeunes Vignes, Naoussa 2015

Domaine Thymiopoulos, Grèce

17,10 $
★★↗ | $$

13,5 % | 2,3 g/l
Code SAQ 12212220

L'appellation Naoussa se situe au nord-ouest de la Grèce. Le cépage de caractère xynomavro règne ici en maître. Si vous aimez le nebbiolo, cépage du nord de l'Italie qui constitue les vins des appellations prestigieuses de Barolo et Barbaresco, vous serez en terrain connu puisque le xynomavro a une structure semblable. La cuvée « jeunes vignes » de Thymiopoulos est un vin qui vous permettra d'apprivoiser ce cépage. Des notes fruitées sans excès aux accents de cerise et de prune sont complétées par une légère note fumée. La bouche élégante fait place à des tanins légèrement crayeux. Il sera un accord intéressant à une longe d'agneau ou de porc sur le BBQ. Ajoutez à vos grillades une salade de tomates, vous allez vous régaler.

Agiorgitiko 2015

Gaia, Nemea, Grèce

21,55 $
★★⌁ | $$

14 % | 3,1 g/l
Code SAQ 11097426

L'agiorgitiko est le cépage rouge le plus cultivé de Grèce. Ne vous laissez pas intimider par ce nom difficile à prononcer, puisque c'est un cépage facile à aimer de par sa structure, offrant toujours un fruité généreux et des tanins présents sans excès. L'agiorgitiko de Gaia en est un exemple classique. Ce vin légèrement boisé se boit frais et en jeunesse. Avec quelques brochettes ou une grillade de bœuf, il sera délicieux.

5 GRANDS NOMS QUI ONT MARQUÉ LE VIN au CANADA

PAR
PATRICK
DÉSY

Les vins canadiens ont peu à voir avec ceux que je dégustais lorsque j'ai commencé à m'y intéresser, il y a plus d'une vingtaine d'années. À l'époque, ça se résumait essentiellement au vin de glace. Pour le reste, c'était assez quelconque, hormis quelques vins secs élaborés à partir de cépages hybrides comme le vidal ou le maréchal foch.

Rien à voir avec l'offre et la qualité d'aujourd'hui. On ne parle pratiquement plus de vin de glace alors que les chardonnays, rieslings, pinots noirs, gamays ou cabernets sauvignons d'ici rivalisent parfois avec ceux des meilleures régions de la planète. Pour souligner ces prouesses, voici selon moi cinq producteurs qui ont eu une influence majeure sur la production vinicole d'un océan à l'autre.

Riesling 2015

Norman Hardie,
Niagara, Canada

30,25 $
★★★⌐ | **$$$**

9,8 % | 25 g/l
Code SAQ 13017602

L'influence de Norman Hardie sur la viti-culture canadienne est assez récente, mais son impact est majeur. Il a beaucoup contri-bué à l'ascension des vins du Prince Edward County. Jancis Robinson, critique anglaise respectée et appréciée, l'encense d'ailleurs depuis ses débuts. Ses chardonnays et ses pinots sont étonnants. Son aventure avec le riesling s'inspire de vins allemands. Un nez qui se livre sans détour. Des parfums typés d'abricot mûr, de miel et d'hydrocarbures. Un équilibre sucre/acidité remarquable. Ce n'est pas pour rien qu'on dit que le riesling est un grand cépage par sa façon de faire ressortir le terroir tout en restant lui-même.

Riesling Moyer Rd RR1 2015

Stratus, Niagara,
Canada

22,15 $
★★⌐ | **$$**

10,2 % | 14,3 g/l
Code SAQ 13183432

Charles Baker est non seulement l'un des pionniers du vin au Canada, mais c'est aus-si une tête pensante qui a eu une influence considérable sur la viticulture. Ce riesling saura séduire à la belle saison. Un vin tout en nuance affichant un soupçon de sucre ré-siduel qu'une acidité vibrante vient faire cla-quer au palais. C'est faible en alcool et riche en saveurs. Des tonalités de citron, de pé-trole et d'abricot. Parfait à l'apéro ou pour accompagner des mets épicés.

Nova 7 2015

**Benjamin Bridge,
Nouvelle-Écosse,
Canada**

25,00 $
★★★ I $$

7 % I 63 g/l
Code SAQ 12133986

Installée dans la vallée de la Gaspereau qui jouxte la baie de Fundy, ce domaine de la Nouvelle-Écosse s'est forgé une rapide et solide réputation comme producteur de vins effervescents dont certains se comparent aux meilleurs champagnes. On doit cette enviable réputation en grande partie au Québécois Jean-Benoît Deslauriers. À défaut de goûter à leurs mousseux aux prix élevés, rabattez-vous sur cette cuvée Nova 7. Un assemblage hétéroclite d'une quinzaine de cépages dominé par l'acadie blanc, le muscat, le vidal et l'ortega. L'équilibre entre le sucre, l'acidité, l'effervescence et la puissance aromatique est remarquable.

Five Vineyards Cabernet / Merlot 2013

**Mission Hill,
Okanagan,
Canada**

17,95 $
★★⌐I $ ½

13,5 % I 2,3 g/l
Code SAQ 10544749

Mission Hill est à la région d'Okanagan ce qu'a été Mondavi pour la Californie, c'est-à-dire une locomotive qui a su amener cette région de la Colombie-Britannique sur la carte des régions viticoles de la planète. Le style des vins reste très proche de ceux que l'on retrouve en Californie ou dans l'État de Washington. Cette cuvée Five Vineyards, l'une des moins chers à la SAQ, illustre bien le genre. Des parfums accrocheurs de cassis mûr, de fraise et de vanille. La bouche est charnue, un peu rondelette avec des tanins arrondis, presque souples. Facile à boire.

Chardonnay Minéralité 2014

Bachelder, Niagara, Canada

23,30 $
★★★ | $$ ½

12,5 % | 1,6 g/l
Code SAQ 12610025

Thomas Bachelder est sans l'ombre d'un doute l'une des grandes figures du vin au Canada. Talentueux, passionné, précis, sensible et d'une grande humilité, il produit des vins toujours aussi vibrants. Passé maître du pinot noir et du chardonnay, il nous livre ici une cuvée Minéralité fort accessible. Le 2014 me semble encore plus précis et plus jouissif que jamais. On sent le côté Nouveau Monde assumé dans le fruité tendre qui évoque des notes exotiques. Bon volume en bouche, c'est beurré, aucunement lourd avec une finale sèche et saline qui apporte de la personnalité et libère des notes d'amande grillée et de crème. Chapeau !

6 VINS DE L'ÉTAT DE WASHINGTON

qui prouvent que la **côte Ouest américaine,** CE N'EST PAS QUE LA **CALIFORNIE**

PAR
MATHIEU
TURBIDE

Quand on parle des vignobles de Washington, on ne parle pas de vignes qui pousseraient derrière la Maison Blanche, pour le plaisir de Donald Trump (on sait qu'il possède son propre vignoble en Virginie, mais on ignore s'il produit du vin... orange). Non, le vin de Washington, c'est celui qui provient de cette région semi-désertique dans l'État qui porte le nom du premier président américain, juste au sud de la Colombie-Britannique.

La plupart des vins de cet État proviennent de la vallée de Columbia, qui est presque désertique, mais très fertile dès qu'on l'abreuve en l'irriguant avec l'eau de l'immense fleuve Columbia qui la traverse. Étrangement, l'État de Washington est l'un des plus importants «potagers» des États-Unis avec des producteurs de pommes, de carottes, de cerises et aussi, de plus en plus, de vignes et de raisins.

Comme beaucoup de «nouvelles» régions viticoles, Washington se cherche encore. On y cultive de tout : du riesling, du chardonnay, du viognier, du cabernet sauvignon, du merlot, de la syrah, du pinot noir, etc. Le merlot du coin est d'ailleurs étonnant, souvent plus structuré et plus costaud que le cabernet sauvignon.

Difficile de généraliser, mais on peut avancer que stylistiquement, les vins de cet État sont beaucoup plus près de ceux de son voisin immédiat, l'Oregon, que des vins californiens, souvent plus opulents.

La SAQ importe de plus en plus de vins de cet État du nord-ouest américain. Mais on aimerait en voir plus. Certains des meilleurs domaines ne se retrouvent pas chez nous, on pense à Mark Ryan, Bookwalter, NorthStar, etc.

Syrah 2014

Chateau Ste. Michelle, Columbia Valley, Washington, États-Unis

19,55 $
★★⌐ | $$

13,5 % | 5,2 g/l
Code SAQ 10960890

Une grande partie des vins de l'État de Washington font partie de la grande famille Ste. Michelle, qui réunit des dizaines de marques. Cette syrah est un bel exemple de la capacité de l'État de produire des vins de tous les styles. À mi-chemin entre le shiraz australiens et la syrah française, c'est un vin généreux, aux accents de prune et d'eucalyptus, souple et riche en bouche avec une finale bien équilibrée et boisée.

Frenchtown 2014

L'Ecole Nº 41, Columbia Valley, Washington, États-Unis

30,25 $
★★★⌐ | $$$

14,5 % | 2,3 g/l
Code SAQ 13234210

L'École Nº 41, c'est une *winery* située dans une ancienne école française du temps où des colons francophones, venus du Québec, avaient peuplé l'est de l'État de Washington, au début du xixe siècle. Un village, près de la ville actuelle de Walla Walla, s'appelait Frenchtown. Il reste peu de traces de la présence «québécoise» là-bas, mais ce vin nous la rappelle. Et il est bon. C'est un assemblage peu orthodoxe de merlot, de syrah, de cabernet sauvignon et de mourvèdre. Le fruit est à l'avant-plan, avec des nuances boisées et épicées. C'est riche et satisfaisant.

Charles & Charles Cabernet / Syrah 2015

Charles Smith, Columbia Valley, Washington, États-Unis

18,65 $
★★★ I $$

13,5 % I 4,1 g/l
Code SAQ 12156029

Charles Smith, le punk *winemaker* est une icône dans le paysage viticole de cette région. Il a récemment vendu quelques-unes de ses marques les plus célèbres (Kung Fu Girl, Boom Boom Syrah, Château Smith, etc.) au géant Constellation Brands. Il continue cependant de faire du vin (et du bon !) notamment avec les nouvelles gammes Charles & Charles et Subtance wines. Cet assemblage de cabernet et de syrah est dans le style Smith : original, mais très gourmand et bien fait. On sent davantage le cabernet (environ 70 % du total). Une belle richesse en bouche avec une finale épicée.

C.M.S. 2014

Hedges, Columbia Valley, Washington, États-Unis

22,90 $
★★★⌐ | $$ ½

13,5 % | 2,5 g/l
Code SAQ 10354478

La famille Hedges possède une superbe propriété dans l'une des régions les plus convoitées de tout l'État de Washington : Red Mountain. Elle cultive les vignes en biodynamie et vinifie avec un style très européen (la dame de la maison est française et possède sa propre gamme de vins, Descendants Liégeois Dupont). On déplore que la SAQ n'importe pas davantage de leurs vins. Celui-ci, un assemblage de cabernet sauvignon, de merlot et de syrah, est une vraie bonne affaire pour le prix. Droit, fin, élégant et long. Un beau vin.

Cs Cabernet Sauvignon 2015

**Charles Smith,
Columbia Valley,
Washington,
États-Unis**

Dans la série Substance de Charles Smith, ce cabernet offre beaucoup de matière, du cassis, de la mûre et du thym avec une belle structure en bouche. Et une belle longueur.

20,40 $
★★⌐|$$

14,5 % | 2,6 g/l
Code SAQ 12670378

Milbrandt Traditions Riesling 2013

**Columbia Valley,
Washington,
États-Unis**

L'État de Washington est le plus important producteur de riesling dans les Amériques. On en voit pourtant peu. Ce sont souvent des rieslings simples et fruités. Celui-ci est produit dans un style plus vif et tranchant, très citronné, peu alléchant aux palais des Américains, nous a avoué le propriétaire. On a aimé.

19,40 $
★★⌐|$$

11,5 % | 12 g/l
Code SAQ 12704793

7 VINS POUR TE PROUVER QUE
BORDEAUX N'EST PAS
HAS-BEEN **NI** RINGARD

PAR
PATRICK
DÉSY

N'ayons pas peur des mots : le bordeaux est loin d'être à la mode. Rien à voir avec ce que j'ai connu lorsque j'ai commencé à m'intéresser au vin au milieu des années 1990. À cette époque, il régnait en maître sur les autres vins de la planète. Il faut dire qu'il était encore possible d'acheter un grand cru classé sans avoir à prendre une seconde hypothèque...

Les temps changent. Même si les ventes sont encore bonnes, elles concernent surtout les crus d'exception qui, selon Alain Vauthier du célèbre Château Ausone, comptent pour 1 % de la production, mais pour plus de 40 % du chiffre d'affaires ! Et puis, il y a la réputation du Bordelais, avec son image de commerçant bourgeois un peu hautain, ses immenses productions et un souci pour le moins discutable de l'environnement. Bref, en ces temps où l'on cherche de plus en plus des vins de caractère et digestes, élaborés par de petits producteurs situés dans des régions oubliées, et qui, si possible, travaillent en bio, on peut se demander si Bordeaux ne va pas frapper un mur !

Qu'à cela ne tienne, les vins de Bordeaux demeurent ceux qui vieillissent le mieux. Les rouges, qui reposent habituellement sur des bases de cabernet sauvignon, de merlot et de cabernet franc, présentent un potentiel de développement remarquable, même dans les vins à moindre prix. Du côté des blancs secs et des sauternes, plusieurs possèdent d'admirables aptitudes au vieillissement. Sans parler qu'on sent un retour vers les vins moins concentrés et plus digestes. Bref, il y a encore de la magie à Bordeaux. En voici sept pour vous en convaincre.

Château Bertinerie 2016

Blaye Côtes de Bordeaux, France

16,20 $
★★ | $ ½

13 % | 2,3 g/l
Code SAQ 707190

Pas besoin de payer 1548 $ pour une bouteille de Haut-Brion afin de goûter le plaisir que peut offrir un bon bordeaux blanc. Un sauvignon légèrement herbacé, de belle droiture, avec un fruit tendre. Simple et efficace.

Château Puy-Landry 2015

Côtes de Castillon, France

14,90 $
★★⅃ | $ ½

12,5 % | 1,8 g/l
Code SAQ 852129

Le parfait exemple du «petit» bordeaux sans prétention qui se boit merveilleusement bien un soir de semaine. Reposant sur une base de merlot, le vin profite des largesses du millésime 2015 avec un fruité généreux. En plus, c'est bio.

Château Bujan 2014

Côtes de Bourg, France

21,05 $
★★★ | $$ ½

13,5 % | 2,7 g/l
Code SAQ 862086

Un autre bordeaux classique dont la qualité est constante millésime après millésime. Le 2014 est élégant, souple avec un fruit qui montre de l'éclat et un boisé soigné. Beaucoup de charme.

Domaine de Courteillac 2014

Bordeaux supérieur, France

23,15 $
★★↗ | $$

14 % | 2,1 g/l
Code SAQ 10391893

Une nouveauté. Un bordeaux charnu montrant des tanins de qualité. C'est légèrement torréfié au nez avec des notes de cassis. Bonne persistance en finale. Le genre de vin qu'on peut boire dès maintenant ou conserver 3 ou 4 ans dans sa réserve personnelle.

Château La Gravette Lacombe 2010

Cru Bourgeois,
Médoc, France

24,25 $
★★★ | $$ ½

13,5 % | n.d. g/l
Code SAQ 12716410

Les crus bourgeois ont souvent un excellent rapport qualité-prix contrairement aux grands crus classés dont les prix ne cessent de gonfler. Issu du grand millésime 2010, celui-ci se montre déjà aimable tout en possédant ce qu'il faut pour se développer favorablement une dizaine d'années encore.

Château Haute-Nauve 2014

Saint-Émilion
Grand Cru, France

27,95 $
★★★⌐ | $$$

12,5 % | 2,9 g/l
Code SAQ 00721431

On devine la race et l'élégance du merlot avec des parfums accrocheurs de cassis, des tanins coulants et du volume. Le vin est complété par le cabernet franc qui apporte un supplément de vivacité et des notes finement poivrées. La classe!

Château Bastor-Lamontagne 2010

Sauternes, France

27,55 $ (375 ml)
★★★✦ | **$$$$**

14 % | 100 g/l
Code SAQ 11016067

Un classique chez les sauternes, Bastor-Lamontagne est aussi délicieux en jeunesse avec ses parfums de miel et de fruits exotiques qu'après une dizaine d'années en cave où il offre alors un registre d'épices douces et de safran. Le 2010 montre une belle liqueur et de la fraîcheur.

5 VINS DE ROUSSILLON POUR METTRE DU SOLEIL ET DE LA CHALEUR DANS VOTRE VERRE

PAR
PATRICK
DÉSY

Avec une moyenne de 320 jours d'ensoleillement par année, l'une des plus élevées de France, on comprend pourquoi le Roussillon rime avec chaleur ! Pourtant, il a plu une bonne partie de la semaine que j'y ai passée, à la mi-mars. Vous auriez dû voir la gueule des vignerons. Le sourire fendu jusqu'aux oreilles. Le bonheur ! C'est qu'avec novembre, ce sont les deux mois permettant au Roussillon de faire ses réserves d'eau.

Les vignes peuvent ainsi affronter l'été torride et très sec, tout en évitant de plonger dans un stress hydrique. Sachant que la composition géologique de nombreuses parcelles contribue au caractère épicé, on peut facilement se retrouver avec des vins alcooleux, aux tanins rustiques et aux notes de fruits cuits.

Le potentiel alcoolique du grenache, cépage de prédilection de l'appellation, peut exploser de trois à quatre degrés en à peine deux à trois jours. Ces conditions extrêmes ont amené les meilleurs vignerons à revoir leurs pratiques de viticulture et de vinification, le but étant de faire des vins plus légers et digestes, tout en respectant le cycle végétatif de la vigne.

L'autre aspect formidable du Roussillon, c'est qu'on peut trouver un lopin de vignes bien situé pour environ 5 000 € l'hectare. En Bourgogne ou à Bordeaux, il faut multiplier par 100, et encore ! Cette facilité d'accès jouxtée à la diversité des terroirs explique pourquoi de plus en plus de jeunes producteurs s'installent dans le Roussillon. Le système de coopérative reste important. On parle de 75 % de la production, ce qui représente plus de 500 producteurs. Bref, voici cinq suggestions parmi les producteurs classiques du Roussillon qui mettront de la chaleur dans votre verre !

Les Sorcières 2016

Domaine du Clos des Fées, Côtes du Roussillon, France

18,50 $
★★★ | $$

14 % | 2,3 g/l
Code SAQ 11016016

Hervé Bizeul est un électron libre qui ne laisse personne indifférent. Il sera, tour à tour, sommelier, restaurateur et journaliste avant de tomber amoureux d'un village perdu dans la zone la plus montagneuse du vignoble roussillonnais, Vingrau. C'est ainsi que le Clos des Fées voit le jour. Cette cuvée Les Sorcières est toujours offerte à prix d'ami à la SAQ. Assemblage de vieilles vignes de grenache (30 %) et de carignan (20 %) de 40 à 80 ans auquel s'ajoute 50 % de jeunes syrahs. Un rouge à la fois généreux et élégant avec ses notes florales et d'épices. Belle finesse des tanins, c'est gourmand, mûr, juteux et d'une indéniable buvabilité. L'expression vin de plaisir prend ici tout son sens.

Château Les Pins 2012

Côtes du Roussillon Villages, France

19,90 $
★★★ | $$

14,5 % | 2,9 g/l
Code SAQ 864546

De l'excellente coopérative de Baixas, cette dernière fait le choix judicieux de faire vieillir le vin deux à trois ans dans ses caves avant de l'envoyer à la vente. L'archétype du vin rouge du Roussillon. Bien parfumé, puissant et épicé, il présente une bouche souple avec des tanins fondus, ce qui rend l'ensemble digeste. Difficile de demander mieux.

Cuvée Laïs 2015

Domaine Olivier Pithon, Côtes du Roussillon, France

27,15 $
★★★ | $$$

13,5 % | 1,4 g/l
Code SAQ 11925720

Originaire de la Loire, Olivier Pithon est parti de presque rien. Depuis qu'il s'est installé à Calce en 2001, sa production a presque décuplé. Minutieux, passionné et d'une grande humilité, il offre que des vins bio et il minimise l'apport de soufre. Le Laïs, cuvée de milieu de gamme, est à mon sens la meilleure introduction à son travail. Un rouge au fruité explosif et arborant des parfums précis. Une bouche tout aussi énergique, nourrie avec une touche de rusticité dans les tanins. Potentiel de garde intéressant (3-4 ans), tout en sachant qu'il se laisse boire avec bonheur actuellement.

Côté Mer 2015

Domaine de la Rectorie, Collioure, France

29,10 $
★★★⁴⁄ | $$$

14 % | 2,5 g/l
Code SAQ 10781242

Situées à Collioure, en bord de mer, les vignes sont posées sur des terrasses qui découpent des pentes à donner le vertige tellement elles sont pentues. Les choses ont beaucoup changé dans la famille Parcé depuis les débuts, en 1984. Une chose demeure : le domaine de la Rectorie continue à produire parmi les meilleurs vins du Roussillon. Dominé par le grenache, ce Côté Mer 2015 est marqué par un fruit plus mûr que d'habitude. On sent toujours ses odeurs de mer qui ajoutent de la personnalité. Surveillez le 2016 qui devrait débarquer bientôt au Québec.

Vieilles Vignes 2014

**Domaine Gauby,
Côtes Catalanes, France**

57,75 $
★★★★ | $$$$

13 % | n.d. g/l
Code SAQ 12682248

Même si on y trouve plus de rouge que de blanc sec, le Roussillon aurait intérêt à faire une plus grande place à ce dernier. Toujours au sommet d'un point de vue qualitatif, Gérard et Lionel Gauby produisent probablement ce qui se fait de mieux en la matière. La cuvée Vieilles Vignes est issue de grenache gris complété par une touche de macabeu, le tout fermenté en foudre. Le résultat est fascinant : un blanc tropical aux notes d'anis, d'agrume, d'amande grillée, de mirabelle et d'iode. Texture riche en attaque, gagnant ensuite en précision par son acidité vibrante. Un caractère bien sudiste qui préserve un maximum de délicatesse. Longue finale parfumée de poire et de trèfle. Un grand blanc qui peut vieillir à merveille en plus.

10 BOURGOGNES À PRIX « ABORDABLE »

PAR
PATRICK
DÉSY

Parce qu'une fois qu'on fait entrer la Bourgogne dans sa vie, et bien, c'est pour la vie ! On y produit évidemment parmi les plus grands vins de la planète, mais dans des styles aussi diversifiés que marqués.

On peut penser à la féminité d'un grand chambolle-musigny ou d'un grand volnay, à la masculinité d'un gevrey-chambertin ou d'un pommard, à la rondeur d'un meursault ou d'un chassage-montrachet par rapport au profil plus athlétique d'un puligny-montrachet ou d'un saint-aubin, à la race légendaire des grands vins de Vosne-Romanée, de Flagey-Échezeaux ou de Corton, à la légèreté d'un gouleyant côte-de-beaune, ou encore, à la minéralité d'un clos de la roche ou d'un chablis.

Le plus remarquable, c'est que cette diversité est aussi grande qu'il existe de climats. Les climats, cette empreinte digitale de chaque vin de Bourgogne. Il y en aurait officiellement 1247! Plus fascinant encore, on peut résumer ces climats à seulement… deux cépages! Pinot noir en rouge et chardonnay en blanc. C'est dans cette opposition si forte entre la simplicité de ses cépages et la complexité de ses climats que réside cette force de caractère unique à la Bourgogne. Le plus frustrant demeure qu'il faut souvent en ouvrir une dizaine de bouteilles de très moyens pour tomber sur un très bon – et souvent à des prix à faire décoller la tapisserie! C'est malheureux, mais pas désespérant pour autant. Il suffit de penser aux producteurs soucieux de la Côte Chalonnaise et du Mâconnais dans le Sud, ou du Chablisien et de l'Irancy dans le Nord, pour savoir qu'on peut encore boire du bon bourgogne à prix abordable.

Le Chapitre Suivant 2014

**René Bouvier,
Bourgogne,
France**

23 $
★★★ | $$ ½

12,5 % | 1,3 g/l
Code SAQ 11153264

L'un des meilleurs pinots noirs sous 25 $. Un vin à l'image de monsieur Bouvier, plutôt austère et peu facile d'approche au départ, mais qui, au contact humain, se révèle généreux, précis, sans concession et attachant. Son Chapitre suivant 2014 est de nouveau une réussite qu'on boit avec toujours autant de plaisir. Bravo !

Chablis 2015

**Joseph Drouhin,
France**

23,80 $
★★★ | $$ ½

12,8 % | 1,5 g/l
Code SAQ 199141

Fort joli chablis village à prix d'ami. C'est un peu rond étant donné le millésime, tout en montrant une acidité fine et vibrante. Si vous cherchez un chablis plus «beurré», moins sur le fil du rasoir, sans pour autant renier ses origines, c'est le choix parfait.

Domaine de la Garenne 2015

Mâcon-Azé,
France

24,85 $
★★★ | $$ ½

12,9 % | 1,3 g/l
Code SAQ 12178789

Le bourgogne « pas cher » à son meilleur !
Nez charmeur porté par le fruit. On sent un
côté grillé qui ajoute de l'élégance. Parfums
délicats de fleur blanche, de poire et de genévrier. Une matière dense à l'acidité ner-
veuse. C'est à la fois charnel, sensuel et intellectuel. Bonne persistance, avec des notes de
cèdre et de fumée.

Chorey-Lès-Beaune 2013

Catherine et
Claude Maréchal,
France

40,75 $
★★★↗ | $$$ ½

13 % | 1,7 g/l
Code SAQ 12450172

Ma rencontre avec Catherine et Claude
Maréchal est venue confirmer tout ce que
je pensais déjà de leurs vins : authenticité,
pureté, profondeur, respect du terroir ET
du client. Un Chorey 2013 bien parfumé qui
« pinotte » sans détour. Pointe de fumée, cerise noire et fond floral. Bien ciselé avec un
corps nourri et cette finale rustique qui vous
fait plier du genou.

Le Creux de Sobron 2015

Jean-Claude Boisset, Côte de Nuits Villages, France

42 $
★★★✓ | $$$ ½

14 % | 1,4 g/l
Code SAQ 13303748

On trouve à la SAQ près d'une trentaine de cuvées élaborées par la maison Jean-Claude Boisset et cette cuvée Creux de Sobron figure parmi les meilleures. On sent bien la générosité du millésime avec une impression de fruit mûr, il est dense, presque structuré, notamment quand le vin grimpe en température. Sans prendre toute la place, on sent l'expression minérale s'estomper au profit d'un profil boisé plus convenu. L'ensemble reste élégant et habilement construit.

Chablis 2015

Isabelle et Denis Pommier, France

30,50 $
★★★✓ | $$$

12,5 % | 2,8 g/l
Code SAQ 11890900

Du chablis village de haut niveau. On sent le côté plus riche du millésime avec un nez rappelant la pêche et la poire tout en conservant un fond minéral de par ses tonalités d'iode et de coquillage. Une texture en bouche plus grasse, mais toujours aussi précise et éclatante. Belle persistance sur des flaveurs d'abricot et d'amande. On siffle la bouteille dans le temps de le dire !

Émotion Rouge 2014

**Domaine Vincent Girardin,
Bourgogne, France**

28,60 $
★★★⤴ | $$$

13 % | 1,7 g/l
Code SAQ 12571644

C'est désormais le talentueux Éric Germain qui a pris la relève de ce domaine qui propose un large éventail de cuvées allant du Beaujolais jusqu'en Côte de Nuits et dont la qualité n'a souvent rien à envier aux meilleurs. Cette cuvée provient de vignes situées sur Chambolle-Musigny, Morey-St-Denis et Gevrey-Chambertin. Le vin profite d'un séjour de 12 mois en fût de chêne, dont 10 % neuf. Un pinot racé et sapide aux goûts et aux tonalités de fruits rouges, de fleur séchée et une touche de bois. Un «village» qui se compare à des premiers crus pour la fraction du prix. Surveillez l'arrivée du 2015.

Chardonnay
Vieilles Vigne 2014

**Maison Roche de Bellene,
Bourgogne, France**

23,05 $
★★★ | $$ ½

13 % | 1,4 g/l
Code SAQ 12577667

C'est un secret bien gardé que les vins de cette « petite » maison de négoce pilotée par nul autre que Nicolas Potel (on trouve à la SAQ des vins portant son nom, mais qui n'ont plus rien à voir avec le principal protagoniste). Du chardonnay « village » à son meilleur. Un nez bien parfumé, tout en nuance avec un joli grillé rappelant les meilleurs crus de Puligny ou de Meursault. Doté d'une acidité tonique, il offre du volume et une finale finement minérale. Ici aussi, surveillez l'arrivée du 2015 au printemps 2018.

La Sœur Cadette 2016

Valentin Montanet, Bourgogne, France

25,15 $

★★★ | $$ ½

12,5 % | 1,2 g/l

Code SAQ 11460660

Un blanc qui provient de l'activité de négoce de Jean et Valentin Montanet du Domaine de la Cadette située à Vézelay, tout au nord de la Bourgogne. Les mêmes principes d'agriculture biologique et d'application d'une vinification naturelle au domaine s'appliquent. Il en ressort un chardonnay ample, généreux tout en restant précis et bien sapide. À boire à grandes lampées !

Savigny-Les-Beaune 2014

Bouchard Père & Fils, France

28,35 $

★★★★ˀ | $$$

12,5 % | 1,6 g/l

Code SAQ 13293341

L'une des meilleures maisons de négoce à Beaune, si ce n'est pas LA meilleure. Un Savigny tout en nuance, lisse, juteux et qui pinotte dès le premier verre. On sent les soins de la maison dans le boisé élégant qui entoure un fruit mûr issu d'un millésime encensé. Un vin qui n'a pas à rougir devant bien des premiers crus vendus plus chers.

6 VINS POUR DÉCOUVRIR LA VALLÉE DU RHÔNE

PAR
ÉLYSE
LAMBERT

Le Rhône est un fleuve d'environ 800 km qui prend sa source dans les glaciers suisse. Ce fleuve donne son nom à la région viticole, qui elle se divise en deux : la vallée du Rhône septentrionale et la vallée du Rhône méridionale. Fait important à mentionner, neuf bouteilles sur dix produites dans la vallée du Rhône sont rouges.

Vallée du Rhône méridionale

Plus de 90 % des vins sont produits dans la région méridionale. C'est la région où l'on trouve entre autres les appellations châteauneuf-du-pape, gigondas et vacqueyras. Elle se caractérise par des vins d'assemblage à base de grenache, de syrah et de mourvèdre. Région chaude où la lavande est omniprésente, c'est aussi celle où vous pourrez aller danser sur le pont d'Avignon.

Vallée du Rhône septentrionale

Au nord, en Vallée du Rhône septentrionale, à environ une heure de Lyon, vous arrivez sur le terroir de prédilection de la syrah et du viognier. Pour les amateurs de vins, c'est LA région à ne pas manquer si on affectionne ces cépages. Les paysages y sont plus dramatiques qu'au sud avec des vignobles comme côte-rôtie ou hermitage qui sont dangereusement difficile à travailler parce que littéralement à flancs de montagne. Mais assez d'informations, maintenant, à vos verres !

La Montagnette 2015

Les vignerons d'Estèzargues, Côtes du Rhône villages Signargues, France

16,40 $
★★⅂ | $ ½

14,5 % | 2,6 g/l
Code SAQ 11095949

Non pas issu de la vallée du Rhône septentrionale, mais bien du sud, je vous propose ce vin parce qu'il est impossible de trouver des vins sous la barre des 20 $ dans cette région. De plus, si vous commencez à vous initier à la syrah, c'est le produit qu'il vous faut. Vin en dominance de grenache, mais assemblé avec de la syrah, on sent bien la petite pointe de violette et de poivre caractéristique de ce cépage, tout en étant joliment fruité. Il reste frais et digeste. Rapport qualité-plaisir imbattable, c'est un passe-partout, qui saura séduire. Servez-le légèrement rafraichi.

Coudoulet de Beaucastel 2015

Famille Perrin, Côtes du Rhône, France

30,75 $
★★★ | $$$

13 % | 2,1 g/l
Code SAQ 449983

La famille Perrin, à qui appartient le château de Beaucastel, propose une alternative plus abordable à son très beau châteauneuf-du-pape via son Coudoulet de Beaucastel. Le coudoulet blanc est ici une parfaite expression des vins du Rhône avec un assemblage de bourboulenc, de marsanne, de viognier et de clairette. Le vin est rond et capiteux (autrement dit, chargé en alcool) avec des notes de fleur d'oranger, de pêche et de miel. La structure du vin est portée par les amers plutôt que par l'acidité, ce qui renforce son caractère rhodanien. C'est un vin qui vaut pleinement son prix. Servez-le avec un morceau de flétan accompagné d'une purée de pois chiche et d'une petite salade croquante, vous allez vous régaler.

Les Traverses 2015

Paul Jaboulet,
Ventoux, France

14,25 $

★★ | $ ½

14 % | 3,6 g/l
Code SAQ 543934

Si le mont Ventoux donne du fil à retordre aux cyclistes du Tour de France, il est aussi un terroir de vins intéressant pour son rapport qualité-plaisir. Les Traverses de Paul Jaboulet en est un bel exemple et fait partie de mes chouchous dans cette catégorie de prix. Le vin est un assemblage classique de grenache, complété par de la syrah. C'est un rouge gourmand, aux jolies notes de fruit noir, de cacao et de garrigue. La bouche est ronde et offre un rappel des arômes du nez. Il est un passe-partout qui, je l'espère, deviendra un de vos classiques.

Les Launes 2015

Delas, Crozes-
Hermitage, France

26 $

★★★ | $$ ½

13 % | 1,4 g/l
Code SAQ 11544126

Pour ceux d'entre vous qui avez découvert le domaine il y a de ça plusieurs années, sachez que la maison Delas s'est refait une beauté et ses vins valent la peine d'être revisités. Nous voici sur l'appellation la plus étendue du Rhône septentrional. Élaboré à partir de la syrah et travaillée avec une petite touche de bois, le vin offre des notes très classiques de violette, de poivre et de lavande, complétées par une petite pointe végétale qui apporte de la fraîcheur. Belle bouche, digeste et équilibrée.

Saint-Joseph 2014

Domaine Courbis, France

27,70 $
★★★ | $$$

13 % | 2,6 g/l
Code SAQ 10919117

L'appellation saint-joseph est une des plus
vastes du Rhône septentrional et offre
des vins rouges à base de syrah à des prix
souvent plus doux que les autres appella
tions de la région. Les frères Dominique
et Laurent Courbis, qui exploitent le domaine familial de 32 hectares, ont su com-
biner tradition et modernité en nous pro-
posant un vin typique au caractère de la
syrah. C'est un Saint-Joseph aux notes vio-
lacées et aux tanins présents, mais mûrs.
Le vin aux arômes classiques de violette,
de poivre et de fruit noir fera une très
belle entrée en matière si vous souhaitez
découvrir ce cépage. Un passage en carafe
lui fera le plus grand bien. Servir avec de
l'agneau, vous allez vous régaler.

Sainte-Agathe 2014

George Vernay, Côtes du Rhône, France

43 $

★★★⤴ | $$$$

12,5 % | 2,0 g/l
Code SAQ 12334884

George Vernay est une figure emblématique de l'appellation condrieu et côte-rôtie, mais les vins sont élaborés depuis quelques années par sa fille Christine, femme de tête qui maîtrise la syrah, la travaillant avec précision et finesse. Je suis personnellement fan de ses vins depuis des années et sa cuvée Sainte-Agathe, qui a longtemps été en importation privée, est maintenant disponible en très petite quantité à la SAQ. C'est de la syrah tout en finesse, fraîche et ciselée. Du grand vin digeste.

6 BEAUJOLAIS PAS NOUVEAUX POUR FÊTER LE BEAUJOLAIS NOUVEAU

PAR
PATRICK
DÉSY

Le beaujolais nouveau fête son 66e anniversaire cette année. La tradition remonte en fait au XIXe siècle. À l'époque, les restaurateurs de Lyon et de Paris achetaient « sous pressoir » les jus en fin de fermentation des producteurs du Beaujolais. On dit même que le vin terminait sa fermentation durant le transport, ce qui permettait de le protéger. On doit la popularité internationale du beaujolais nouveau surtout au négociant Georges Dubœuf qui a transformé l'événement en une formidable vitrine commerciale. Si bien que dans les années 1980–1990, on faisait littéralement la file devant les SAQ pour mettre la main sur les bouteilles.

L'hyper-commercialisation de vins fabriqués à coup de levures aromatisées pour s'assurer d'une saveur de l'année — la banane étant de loin la plus populaire! – est cependant venue remettre en question l'idée de débourser près de 20 $ pour un produit de plus en plus ordinaire. Cette baisse d'engouement se traduit cette année à la SAQ avec une offre réduite à quelques beaujolais nouveau dont ceux de Georges Dubœuf et de Mommessin, évidemment, mais aussi ceux de Dominique Piron, de Damien Coquelet et de Jean-Paul Brun, ces derniers étant les plus intéressants.

N'allez pas croire que tous les «beaujo», comme on dit dans le milieu, sont ennuyeux et insipides. Au contraire! Le Beaujolais est l'une des plus belles pépinières à vin de la planète. On n'a qu'à penser à des noms comme Lapierre, Métras, Descombes, Foillard, Thévenet, Chignard, Balagny, Piron, Thivin, Brun, Chermette et j'en passe!

Château du Souzy 2014

Beaujolais Villages, France

16,70 $
★★ | $ ½

12,5 % | n.d. g/l
Code SAQ 10837390

Élaboré par une coopérative souvent primée, ce petit beaujo vaut mieux que pratiquement n'importe quel beaujolais nouveau vendu plus cher. Un rouge facile, gouleyant, joliment parfumé au fruit tendre et frais. Rien qui accroche. Le gamay dans sa plus simple, mais aussi, sa plus belle expression. Servir frais.

Les Griottes 2015

Domaine du Vissoux, Beaujolais, France

19,55 $
★★⌐ | $$

13 % | 1,9 g/l
Code SAQ 11259940

Pierre-Marie et Martine Chermette savent faire ! Dans la même lignée que le Château de Souzy, mais avec un supplément d'âme et de gourmandise. Un gamay avec des parfums bien définis évoquant la fraise, la ronce, les épices et les griottes, ces petites cerises rouges un peu acides. C'est soyeux, d'assez bonne richesse avec une fine trame acidulée rappelant le bonbon anglais en finale.

Fou du Beaujo 2016

**Damien Coquelet,
Beaujolais
Villages, France**

20,95 $
★★★ | $$

12,5 % | 1,5 g/l
Code SAQ 12604080

Damien Coquelet a comme beau-père… Georges Descombes, l'une des grandes figures du Beaujolais. Après un superbe 2015, le 2016 n'a pas à rougir. Au contraire! Des parfums exaltants de fruit rouge, d'épices douces et un trait végétal qui provient habituellement de la macération carbonique. On devine un gamay tout en chair, gourmand et énergique, un poil sauvage avec de la longueur et une finale désaltérante.

Terres Dorées 2015

**Jean-Paul Brun,
Morgon, France**

24,30 $
★★★ | $$ ½

12 % | 1,5 g/l
Code SAQ 11589746

Le nez s'emballe sur des notes de fraises, de fleurs mauves, de poivre et une pointe de cannelle. En bouche, on sent un fruité croquant, devenant presque juteux dans sa manière de gommer la rusticité agréable des tanins alors que l'acidité paraît fine et bien intégrée. Le vin a du volume, montre une belle allonge en finale et laisse entrevoir des flaveurs de fumée. Impossible de résister!

Domaine Marcel Lapierre 2016

Morgon, France

32,25 $

★★★ | $$$

12,5 % | 2,2 g/l
Code SAQ 11305344

Sans doute le beaujolais le plus populaire au Québec! Un 2016 qui revient sur une piste plus classique que le 2015. Nez éclatant. Notions de fleurs coupées, griotte avec une petite touche végétale fort agréable. Matière nourrie et finement tissée s'articulant autour de l'acidité naturellement élevée du gamay. Le vin a du fond, quoiqu'encore nerveux. Belle bouteille.

La Madone 2015

Domaine J. Chamonard, Fleurie, France

34,75 $

★★★★ | $$$

13,5 % | 2,1 g/l
Code SAQ 13108096

Un nez feutré évoquant la tarte aux bleuets, le pot-pourri, la framboise et le cassis. Pas l'ombre du début d'un commencement de tonalités végétales. Une entrée de bouche soyeuse et riche, qui gagne en nuance aromatique. En s'oxygénant, le vin développe une belle volatilité qui accentue l'intensité des parfums. Ça vient jazzer l'affaire, comme dit souvent mon ami Marc Chapleau. C'est juteux, presque velouté, tout en restant structuré. Un vin taillé pour la garde!

6 SUGGESTIONS DE VINS « NATURE »

en vente à la **SAQ** pour essayer de

CONVAINCRE **MATHIEU**

PAR
PATRICK
DÉSY

Jusqu'à récemment, on trouvait du vin « nature » ou « naturel » uniquement sur les tables de restaurants dédiés comme le Pastaga et le Manitoba ou via l'importation privée. À l'été 2015, devant l'engouement grandissant des amateurs, la SAQ a fini par en introduire une demi-douzaine, mais seulement dans certaines succursales. Aujourd'hui, même s'ils ne sont pas identifiés comme tels, on en retrouve facilement une cinquantaine partout au Québec.

Contrairement à l'agriculture biologique ou au vin biodynamique qui possèdent leur propre label officiel — ils sont soumis à un cahier des charges spécifique —, il n'existe rien de tel pour le vin nature, si ce n'est qu'une charte créée par une association de producteurs de vins naturels, mais que personne n'est obligé de respecter.

Ceux qui font du vin nature adhèrent habituellement à une philosophie «non interventionniste» dans le chai et respectent les règles d'une agriculture biologique sur des vignobles à petits rendements. Ils n'utilisent pas de levures industrielles et n'ajoutent pas de sucre au moût, ne recourent pas à des procédés comme la micro-oxygénation ou l'osmose inversée, ne filtrent pas (ou peu), et limitent l'usage du dioxyde de soufre à des doses qui sont de 10 à 40 fois inférieures à celles autorisées.

N'allez cependant pas croire que le vin «naturel» est nécessairement exceptionnel. Il y a du bon, voire du magnifique, mais il y a aussi beaucoup d'approximatif et du mauvais. Bref, il faut être prudent. En voici six très bons pour vous aider à mieux les comprendre.

Rouge 2015

**Domaine de
Majas, Côtes
Catalanes, France**

19,25 $

★ ★ ★ | $$

13 % | 1,8 g/l

Code SAQ 13105910

C'est l'un des moins chers à la SAQ – malheureusement, le vin nature coûte un peu plus cher à produire que le vin élaboré en quantité industrielle. Ce domaine d'une trentaine d'hectares situé dans les contreforts des Pyrénées, dans le pays catalan, offre un très joli rouge à base de grenache et de carignan. Belle pureté au nez, pas trop funky au départ avec des notes de mûre, de griotte et d'épices. C'est léger, frais et bien sapide. Du beau glouglou! Surveillez l'arrivée du 2016 au printemps.

Avis de Vin Fort 2015

**Domaine
Catherine et
Pierre Breton,
Bourgueil, France**

26,25 $

★ ★ ★ | $$ ½

12 % | 1,2 g/l

Code SAQ 12877256

Le couple Breton cultive une douzaine d'hectares de vignes sur Chinon, Bourgueil et Vouvray, en Loire. Les deux inséparables sont reconnus pour leur contribution au mouvement des vins naturels en France. Issu de cabernet franc, ce rouge ressemble plus, par sa couleur et sa texture, à un rosé. Parfums étonnants de petits fruits rouges et de violette. À boire bien frais. Offert en quantité très limitée. Le 2016 devrait débarquer à la SAQ au printemps.

Brouilly 2015

**Georges
Descombes,
France**

25,90 $
★★★⌐ I $$ ½

12,5 % I 1,6 g/l
Code SAQ 12494028

Un producteur phare du Beaujolais. Ses crus, notamment Morgon et Fleurie, se classent parmi les plus profonds de l'appellation. On est ici sur un Brouilly qui profite des largesses du millésime 2015. Un nez débordant de fruit avec des notes de fraise et d'épices. Une matière ample, un poil sauvage, mais qui joue la carte de la séduction. C'est frais et croquant avec une finale tout en richesse et en légèreté. Indice de picolabilité élevé.

Petit Taureau 2015

**Domaine Padié,
Vin de France,
France**

28,15 $
★★★ I $$$

12,5 % I 1,4 g/l
Code SAQ 13113215

Chef de culture chez Mas Amiel et ensuite chez Gérard Gauby, Jean-Philippe Padié a lancé sa propre affaire à Calce, la Mecque du vin nature en Roussillon. Misant sur le carignan issu de marnes calcaires et la syrah poussant sur des sols de schistes, il en ressort un vin aux parfums attrayants de myrtille, de fleurs mauves, de garrigue et de poivre. Beaucoup de fraîcheur, sans l'aspect du fruit cuit, sapide avec une matière soyeuse, des tanins souples et une finale de bonne persistance. Un autre vin glouglou à servir bien frais.

Y'a Bon the Canon 2015

**Anne & Jean-François Ganevat,
Vin de France, France**

32 $
★★★↗ | $$$

13 % | 2,6 g/l
Code SAQ 12624152

Jean-François Ganevat est l'un des vignerons les plus en vue. Étant donné la forte demande sur ses vins, il a lancé une activité
de négoce dont certaines des cuvées se retrouvent à la SAQ, notamment celle-ci qui
a retenu mon attention. C'est assez funky à
l'ouverture avec des notes déstabilisantes de
gibier et une impression perlante en bouche.
Passez-le en carafe de 45 à 60 minutes, vous
verrez, la transformation est impressionnante. Beaucoup de fruits, c'est salin, étoffé
avec un côté sauvage en finale. Le 2016
devrait être disponible au printemps 2018.

Renaissance 2015

Henry Marionnet, Touraine, France

28,80 $
★★★ | $$$

12,5 % | 2,2 g/l
Code SAQ 13196815

Un vin nature par un producteur classique de la Loire : Henry Marionnet. Véritable chef de file, on doit à ce dernier la reconnaissance internationale du gamay et des vins de la Touraine. Son fils, Jean-Sébastien Marionnet, est derrière ce projet de vin «naturel». Comme point de départ, une vigne de gamay plantée en 1992 non greffée sur 1,3 hectare. On est ici sur un registre nature que je qualifierais de «gentil». Exit les notes d'animal sauvage, de basse-cour et l'impression de pétillant en bouche. On a plutôt un nez d'une belle pureté de fruit, une bouche lisse, soyeuse avec une belle allonge. C'est gouleyant et très digeste. On aimerait peut-être un peu plus de caractère et un prix plus doux, mais au final, on se retrouve avec un très joli gamay. Parfait à l'apéro ou sur le plateau de charcuteries.

5 SUGGESTIONS DE **VINS « NATURE »** DISPONIBLES EN **IMPORTATION PRIVÉE** pour épater vos amis branchés...

PAR
PATRICK
DÉSY

Vous souhaitez allez plus loin dans les vins « nature » ? Goûter la crème de la crème ? Sachez, avant de poursuivre votre lecture, que ces vins sont parfois, voire souvent, difficiles à trouver. Vous pouvez cogner aux portes des agences, mais votre meilleure chance de mettre la main sur une bouteille, c'est probablement sur la carte d'un bon restaurant (consultez notre liste dans le guide pour savoir où). Bref, voici cinq vins qui vont épater vos amis branchés, même les plus hipsters d'entre eux.

Trousseau Plein Sud 2015

Jean-François Ganevat, Côtes du Jura, France

64,57 $
★★★★ | $$$$$
Agence RéZin

Après avoir passé une dizaine d'années à Chassagne-Montrachet, Jean-François Ganevat rentre chez lui et achète les vignes de son père qui étaient louées. Le vignoble est conduit en bio et bientôt en biodynamie. Il entreprend également la sélection parcellaire, ce qui explique le nom de chaque cuvée. Toute la vinification se fait sans soufre et la mise sans collage ni filtration. Ce Trousseau Plein Sud 2015 provient d'une parcelle située juste au-dessus de chez Ganevat. Des éboulis calcaires et des marnes rouges exposés plein Sud, qui accueillent trousseau, poulsard et savagnin. Production minuscule. C'est un vin chavirant tant par ses parfums de rose fanée — qui ne sont pas sans rappeler les vins du célèbre Domaine de la Romanée Conti, à Vosne-Romanée — que par sa bouche arborant un fruit vibrant et une texture soyeuse, presque juteuse. Du grand art !

Gevrey Chambertin 1er cru « Bel Air » 2010

Philippe Pacalet, France

118,90 $
★★★★ | $$$$$
Agence RéZin

Philippe Pacalet est le neveu de Marcel, producteur vedette de Morgon. C'est aussi l'un des derniers apprentis de Jules Chauvet, pionnier de la vinification basse température et sans soufre. Pacalet est rapidement devenu une référence et on s'arrache ses vins même si les prix sont loin d'être sages. Un premier cru Bel Air qui, sur 2010, se montre absolument remarquable. Un nez éclatant, une bouche ciselée et tout le bonheur qui vient avec. Superbe !

La Luna 2016

**Bruno Duchêne, I.G.P.
Côte Vermeille, France**

38,50 $
★★★★ | $$$ ½

Agence Labelle Bouteille

Minutieux, intuitif, rigoureux, entêté et immensément talentueux, Bruno Duchêne bi-
chonne ses parcelles et ses vignes comme si
c'était chaque fois le dernier jour. Une toute
petite production provenant d'environ 4 hectares qui donnent moins de 10 000 bouteilles
par année. Le nombre de cuvées commence
à augmenter pour notre plus grand plaisir, mais il n'est pas facile de mettre la main
sur une bouteille. La Luna, du nom de sa
chienne, représente sa plus grosse production. Il est question de trois grenaches à 90 %
et le reste de carignan. Vignes de plus de
50 ans provenant de parcelles en terrasses à
forte pente et composées principalement de
schiste. Aucune mécanisation. Tout est fait
à la main et au cheval. Vinification en vendanges entières, sans remontage. Élevage
2/3 en cuves et 1/3 en barriques. Le 2016 est
explosif et montre une impressionnante fraîcheur. C'est gourmand, épicé avec une finale
élégante. Wow !

Le Rouge-queue 2013

**Philippe Bornard,
Arbois-Pupillin, France**

47 $
★ ★ ★ ★ | $$$$
Agence Glou

Philippe Bornard, c'est le tombeur hirsute de Pupillin. Voisin d'Overnoy, l'un des pères du vin nature, on a l'impression de l'aimer sans retenue dès le premier contact. Certaines cuvées sont plus approximatives que d'autres, alors que d'autres brillent comme mille étoiles une nuit d'été. Cela dit, on sent quelque chose d'unique dans chaque vin. Comme chez Ganevat, Philippe Bornard s'amuse à multiplier le nombre de cuvées malgré une toute petite production. Le melon à queue rouge est un cousin du chardonnay (et du melon de Bourgogne) dont les rafles rougissent à maturité. Il donne de très beaux vins chez les vignerons qui persistent à le cultiver, notamment Ganevat avec sa cuvée Marguerite. Nous sommes ici sur un vin ouillé, élevé longuement en foudre. Dépaysement assuré.

Tavel 2015

Domaine de l'Anglore, France

44 $
★★★★ | $$$ ½

Agence Glou

Eric Pfifferling est sans doute la grande coqueluche actuelle du vin nature. Ses vins se retrouvent sur la carte des meilleurs restos de Paris, New York, Amsterdam, Londres. Autrement dire que tout le monde se les arrache. Installé à Tavel, dans le sud du Rhône, il gère un domaine de 7 hectares certifié bio. Les parcelles sont majoritairement complantées, sur des sols souvent pauvres et cailloux, et les vendanges sont manuelles. Le 2015 est élaboré à partir de 70 % grenache, 20 % cinsault puis mourvèdre, clairette et carignan. La majorité des parcelles sont âgées de plus de 60 ans. Un vin au fruité très pur évoquant des notes florales. Le touché de bouche est sensuel, avec toujours cette touche de confiserie qui ajoute un caractère gourmand inimitable. On voudrait pouvoir en boire tous les jours.

7 BONS VINS BIO POUR BOIRE LA CONSCIENCE TRANQUILLE...

PAR
ÉLYSE
LAMBERT

La catégorie «vin biologique» n'a pas toujours eu bonne presse, mais les choses changent. Se faisant, de plus en plus de vignerons désireux de garder leur terroir bien vivant et de produire des vins qui ont la personnalité de leur lieu de naissance, se sont tournés vers l'agriculture biologique et la biodynamie. Voici une courte liste de certains de mes favoris des quatre coins du monde. Le plus difficile aura été de choisir puisqu'une panoplie de produits sont maintenant disponibles. Gardez l'œil ouvert et buvez bon!

Rosé 2016

Château La Lieue, Coteaux Varois en Provence, France

17,45 $
★★ | $$

13 % | 1,6 g/l
Code SAQ 11687021

La Provence est la région par excellence pour la production de vin rosé, où la culture biologique y est bien développée. Le Château La Lieue se situe au cœur de cette région, plus précisément en coteaux varois en Provence. Le domaine nous propose des vins à prix plus que compétitifs et sans compromis sur la qualité. Leur rosé arrive à la fin du printemps et disparaît rapidement. C'est un de mes favoris d'année en année. Issu d'assemblage de cinsault et de grenache, le vin allie à ses notes fruitées un joli complément floral. Ce rosé frais et sec se boit à grande lampée.

Cuvée Marie-Gabrielle 2016

Domaine Cazes, Côtes du Roussillon, France

18,50 $
★★ | $$

13,5 % | 3,9 g/l
Code SAQ 851600

Ce vin est disponible depuis plusieurs années à la SAQ et fait partie des valeurs sûres de la section des vins biologiques. Le domaine Cazes travaille en culture biodynamique depuis plus de 20 ans. Malgré sa grande surface (lire ici 220 hectares), il est un exemple pour la maîtrise de cette approche. Je leur lève mon chapeau et espère voir plus de domaines emprunter cette démarche. Ne passez pas à côté de la petite cuvée Marie-Gabrielle. Ses notes de fruit noir croquant et sa bouche aux tanins fins sauront plaire. Si vous aimez les vins gourmands sans être faciles, c'est à ne pas manquer.

Les Millères 2015

Domaine Gardiès, Côtes du Roussillon Villages, France

24,75 $

★★★ | $$ ½

15 % | 2,1 g/l

Code SAQ 10781402

Je persiste et signe avec un deuxième vin de cette région qui a de quoi plaire. C'est ici chez Jean Gardiès, vigneron de 7e génération, que la famille cultive une trentaine d'hectares en agriculture biologique. Je remarque sur les vins du domaine plus de fraîcheur et de précision que par le passé. Les Millères est un assemblage de grenache, de syrah, de carignan et de mourvèdre élevé partiellement en demi-muid (660 L) permettant de patinés les tanins sans marqué le vin de notes boisées. Du fruit et des notes cacaotés, une petite pointe florale, le vin se déguste à merveille.

Horizon Blanc de Blancs Brut

Pascal Doquet, Champagne, France

53,75 $

★★★★ | $$$$ ½

12,5 % | 7 g/l

Code SAQ 11528046

Le domaine familial Pascal Doquet a fait son apparition il y a quelques années sur notre marché. Élaborant des vins issus d'agriculture biologique qui ont de la gueule, on a rapidement adopté sa cuvée Horizon. À base de chardonnay, c'est un champagne au dosage bas, qui garde la bouche bien fraîche et qui ne manque pas de personnalité. Apéritif par excellence, il pourrait accompagner quelques huîtres fraîches. Ce domaine offre maintenant plusieurs cuvées qui valent la découverte.

Shiraz Organic 2016

Yalumba, Australie

17,45 $
★★ | $$

14 % | 1,4 g/l
Code SAQ 12990531

Si vous aimez les vins plus généreux et que le style australien fait partie de vos favoris, cette suggestion est pour vous. La maison Yalumba a planté ses premières vignes en 1849, ce qui en fait aujourd'hui le plus vieux domaine familial d'Australie toujours en production Le vin est riche et puissant aux arômes de jujube et de confiture de framboises. La bouche suit avec cette attaque ultra fruitée et légèrement épicée, mais avec une finale qui reste sur la gourmandise. Servez-le légèrement frais, idéalement accompagné d'une grillade, pour un maximum de plaisir.

Blaufrankisch 2015

Heinrich, Burgenland, Autriche

23,45 $
★★★ | $$ ½

12,5 % | 2 g/l
Code SAQ 10768478

L'Autriche est un pays qui nous réserve plusieurs belles découvertes viticoles. On en voit arriver de plus en plus sur les tablettes à mon plus grand bonheur. Si vous ne connaissez pas le blaufrankisch, c'est normal. Cépage classique de l'Autriche, il offre des vins frais et épicés qui ne manquent pas de personnalité. Heinrich, petit domaine viticole familial situé tout près du lac Neusiedler, à l'extrême est du pays, élabore un blaufrankish aux notes de cassis et de mûre. L'acidité fraîche combinée à des tanins fins et polis apportent une buvabilité magnifique à ce vin. Une découverte à ne pas manquer.

Les Échalas 2014

Clos Bellane, Côtes du Rhône Villages, France

32,75 $
★ ★ ★ | $$$ ½

13,5 % | 3,8 g/l
Code SAQ 12235827

Je suis très admirative de Stéphane Vedeau, vigneron talentueux de la vallée du Rhône qui travaille ses terroirs en biodynamie. Clos Bellane, c'est un vignoble, mais aussi une terre d'accueil pour 120 ruches et une truffière. Ses vins sont ciselés et précis, avec toujours de l'équilibre et de la fraicheur. Les Échalas, c'est une cuvée à 100 % roussanne à la bouche ronde d'amande, de miel, de poire, de poivre blanc et d'anis. Un vin qui apporte beaucoup de plaisir et qui reste super digeste. Petite note aux lecteurs, le domaine est certifié bio depuis 2015… Même sans la certification officielle, vous allez bien boire, c'est promis !

LE VIN ORANGE

PAR
ÉLYSE
LAMBERT

Il est maintenant proposé dans les restaurants et les endroits branchés, il fait partie des produits vendus au verre et il a maintenant sa propre catégorie sur plusieurs cartes des vins. Mais qu'est-ce que le vin orange ?

Le vin orange est en réalité un vin blanc vinifié comme du vin rouge. Le principe est simple : lorsque le raisin est cueilli, plutôt que de faire un pressurage et de se débarrasser des peaux du raisin pour ne garder que le jus, les peaux des raisins blancs (et parfois aussi les rafles) sont laissées plus ou moins longtemps en contact avec le jus. Cette macération pelliculaire effectuée avant et pendant la fermentation va permettre d'aller chercher une palette aromatique différente, mais aussi de la matière. Cette matière, on l'appelle amertume phénolique, un peu l'équivalent des tanins dans le vin rouge.

Autre aspect important, le vin orange, même s'il nous donne l'impression au nez qu'il pourrait être sucré, est complètement sec. Il offre de façon générale des parfums rappelant l'écorce d'orange, le safran et des notes florales. Certains vins à la macération et au vieillissement prolongés peuvent apporter des notes de terre, d'humus et de champignon. Chacun son cépage, son style et sa façon de faire. Après avoir dégusté plusieurs vins du genre et en avoir discuté avec quelques producteurs, on réalise que le cépage et le terroir ont tendance à disparaître derrière ce style de vinification, mais qu'à cela ne tienne, le vin orange a son identité bien à lui.

On pourrait croire que le vin orange est complètement nouveau, mais, c'est en fait tout le contraire. Ce style date de l'antiquité et serait originaire du Caucase. Le vin orange a par contre été remis de l'avant au début des années 1990 par Stanko Radikon que plusieurs considèrent comme le père de la renaissance de ce style. Son idée au départ était en fait de vinifier comme le faisait son grand-père. Avec ses voisins Josko Gravner et Dario Princic, il est rapidement devenu une référence et a été suivi par plusieurs vignerons à l'esprit explorateur un peu partout dans le monde.

Small Lot Natural Wine 2016

Southbrook Vineyards, Niagara, Canada

32,35 $

Importation privée
Agence Delaney Vins et spiritueux
Contact : Isaac Delaney
vinsfins@sdvf.ca

Ce vin est élaboré par Ann Sperling au domaine Southbrook. Il est issu du cépage vidal cultivé en biodynamie. Grâce à elle, j'ai eu un premier contact éclairé avec ce type de vin et ses explications ont su bien guider mon appréciation du vin orange. Attaque sur l'écorce d'orange et le noyau de pêche. Tanins présents, bergamote, jolie amertume, finale fraîche sur l'écorce de citron. Ce vin est non filtré, vous pourriez donc avoir un peu de dépôt.

Frangine, La Crescent 2016

**Pinard et filles,
Magog, Québec**
Les informations
sont dispo-
nibles sur www.
pinardetfilles.com

Mon coup de cœur du moment en vin orange va à cette cuvée nette, fraîche et accessible issue du cépage la crescent. Ce vin est élaboré par Frédéric Simon sur son petit vignoble biologique en Estrie. Chapeau à ce dernier pour son super travail. Notes de pivoine, de rose sauvage et de bergamote. Bouche ultra florale et fine. Sensation de thé glacé pour grande personne. Très bel équilibre. Un produit qui correspond parfaitement au style et qui a su me charmer tant par le vin que par la jolie étiquette de Marc Séguin.

Julep 2016

**Vignoble des
Négondos, Québec**
Le vin est disponible
en petite quantité.
Pour en savoir
plus, consultez
www.negondos.com.

Un autre produit du Québec qui fait sensation : Orange Julep. Le vignoble Négondos produit des vins issus d'agriculture biologique depuis 1993. Ils sont des pionniers au Québec. Élaboré à base de seyval, c'est un orange qui est facile d'approche au très joli fruité rappelant la nectarine. La pointe florale fait place à une bouche simple et droite. C'est une belle façon d'apprivoiser le vin orange.

Venezia Giulia, Bianco Breg 2007

Gravner, Italie

Prix particulier, **105,51 $**/caisse
de 3 bouteilles
Importation privée
Agence Bacchus 76
Contact : Sébastien Langlois
514 804-0796

Producteur historique qui élabore des vins
exceptionnels. Ceux-ci sont surtout desti-
nés aux initiés mais valent la découverte. Le
prix est plus élevé, mais il s'agit d'un produit
ayant un élevage en foudre de 6 ans avant
sa mise en marché. Nez expressif, très ouvert, pomme séchée, écorce d'orange, safran, botrytis, camomille, pêche séchée, très
complexe. Bouche tenue par les amers, sur
l'écorce d'orange confite, la pomme cuite, le
safran. Longueur, précision, bouche tanique
et fraîche à la fois. Vin magnifique.

Venezia Giulia, Ribolla Gialla 2008

Radikon, Italie

42,75 $ (500 ml)
Produit disponible en SAQ Signature
Code SAQ 12493121
Agence Oenopole

Radikon est un incontournable du vin orange et nous transporte à la renaissance de ce style. Stanko Radikon nous a quitté il y a quelques mois et c'est aujourd'hui son fils qui a pris la relève. Son vin est plus sérieux et l'approche de ce produit demande un palais plus initié. Le vin attaque sur des notes de terre et d'humus, de camomille séchée et d'ensilage. Sa petite pointe rustique peut d'ailleurs surprendre, mais vaut la découverte si vous êtes un puriste. Le produit est non filtré.

Venezia Giulia, Vitovska 2015

Zidarich, Italie

36,90 $/caisse de 6 bouteilles
Ce produit sera disponible comme
plusieurs autres lors d'un arrivage
vin orange à la SAQ cet automne
Agence Vinealis
André Papineau
www.vinealis.qc.ca

Ce vin à base de cépage vitovska m'a énormément plu. Il se situe à mi-chemin entre
facilité et puissance, ce qui m'amène sur le
mot précision. J'aime sa complexité et sa
fraîcheur. Le vin est droit et fait partie de
mes favoris. Avec un fromage accompagné
d'une marmelade safranée ou un ravioli à la
courge butternut, il saura vous convaincre
de la place à la table que peut occuper un vin
comme celui-là.

5 VINS QUI IRONT BIEN AVEC VOTRE BOL DE *POKE*

PAR
ÉLYSE
LAMBERT

Le bol de *poke* est une préparation nous provenant d'Hawaï. Dans le dialecte local de cette région du monde, *poke* signifie dés. Cette préparation servie dans un bol contient tout de sortes d'ingrédients, dont généralement du poisson cru parfois nature parfois mariné. Gagnant en popularité depuis quelques années, on le retrouve dans plus en plus de restaurants au Québec. Voici donc quelques suggestions pour agrémenter votre *poke* favori.

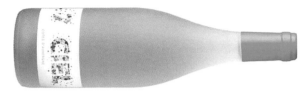

7ᵉ **Ciel** 2015

**Saint-Verny,
Côtes d'Auvergne,
France**

17,40 $
★★⸍ | $$

13,5 % | 1,7 g/l
Code SAQ 13343248

Un tout nouveau rosé qui vient de débarquer à la SAQ. Élaboré à partir de gamay provenant de Côtes d'Auvergne, appellation qui se distingue par ses sols volcaniques, il offre un joli de nez de fruit rouge, d'agrume et de fleur. En bouche, c'est tonique, bien sec, avec une texture tendre et une finale qui s'allonge. Il se boit à grandes lampées et fera bonne figure avec le côté salin et sucré de la crevette.

Les **Longeays** 2013

**Domaine Thibert,
Pouilly-Vinzelles,
France**

30,75 $
★★★⸍ | $$$

13 % | 2 g/l
Code SAQ 11891056

Si votre poke est constitué de poisson comme le flétan par exemple, vous aurez besoin d'un vin ayant de la texture, sans boisé excessif. Un chardonnay de bourgogne sera tout désigné pour cet accord. Voici ma suggestion. Coup de cœur de cette année, je vous propose de découvrir, dans la région du Mâconnais, le domaine Thibert. C'est Sandrine et son frère Christophe qui ont la propriété familiale de 22 hectares bien en main. La presse spécialisée n'a cessé d'encenser ce domaine, avec raison. Ce chardonnay a de la rondeur et une petite pointe grillée est bien balancé. Il vaut pleinement son prix, mais vous devrez garder l'œil ouvert puisqu'il arrive en petite quantité.

Loureiro 2015

**Anselmo Mendes,
Vinho Verde,
Portugal**

16,70 $

★★ | $ ½

12 % | 4,3 g/l

Code SAQ 12455088

Les garnitures et assaisonnements du poke peuvent être aromatiques. Si c'est le cas vous aurez besoin d'un vin aromatique pour mettre en valeur et soutenir ces saveurs. Je vous propose de découvrir le loureiro, cépage le plus planté de la région des vinho verde au Portugal. Régulièrement en assemblage, on le retrouve aussi en mono-cépage comme c'est le cas ici. Anselmo Mendes est le maître incontesté de la région et fait un loureiro tout en fraîcheur. Ses notes de lime et de laurier ainsi que son élégance en feront un produit qu'on pourrait boire avec un poke de poisson garni de lime et de coriandre.

Pyrène Gros Manseng 2016

**Lionel Osmin,
Côtes de
Gascogne,
France**

15,20 $

★★ | $ ½

13 % | 4,5 g/l

Code SAQ 13188778

Ce vin, une nouveauté au répertoire général de la SAQ, est élaboré par Lionel Osmin, négociant talentueux du Sud-Ouest de la France. Le vin est issu de gros manseng, cépage indigène de cette région. Élaboré pour conserver un maximum de fruité et de fraîcheur, le vin est aromatique et croquant, aux arômes de pamplemousse rose avec une petite pointe exotique. Si votre poke est constitué de pétoncles avec une vinaigrette aux agrumes, ce sera un accord fraîcheur à prix tout aussi rafraichissant.

Rosso 2015

Tenuta delle Terre Nere, Etna, Italie

27,30 $
★★★ | $$$

14 % | 2,8 g/l
Code SAQ 12711176

Si votre poke contient du thon rouge, ce qui est souvent le cas si vous êtes à Hawaï, je vous suggère un de mes vins chouchous. Etna c'est le nom d'un volcan, mais aussi celui d'une appellation où le nerello mascalese excelle. Ce cépage ressemble à la fois au pinot noir pour son fruit et au nebbiolo pour sa structure. Le nez attaque sur le fruit rouge frais et la cerise. Sa bouche est élégante aux tanins légèrement crayeux. Le domaine Terre Nere fait partie de mes favoris sur l'appellation et fait preuve de constance année après année. Le thon rouge est un poisson plus savoureux et sa texture nous rappelle presque celle d'une viande. Vous pouvez sans problème opter pour un vin rouge élégant comme c'est le cas ici pour un accord réussi.

5 VINS POUR DILUER LE SIROP D'ÉRABLE à la cabane à sucre

PAR
PATRICK
DÉSY

L'arrivée du printemps rime évidemment avec le début du temps des sucres ! Sous l'impulsion des chefs comme Martin Picard, Laurent Godbout ou Louis-François Marcotte, la cuisine de la cabane a pris du galon.

Certaines cabanes proposent d'ailleurs de superbes cartes des vins afin d'accompagner le jambon fumé et les œufs dans le sirop. Reste que la plupart d'entre elles offrent la possibilité d'apporter son vin et… sa bière. Je dis bière, car c'est souvent la solution la plus simple quand vient le temps de manger à la fois salé et sucré.

Les accords avec le vin ne sont pas impossibles, bien au contraire ! Les arômes de fumée font souvent bon ménage avec les vins élevés en fût de chêne, mais il faut éviter les trucs tanniques et concentrés, sinon vous risquez de passer un moins bon moment gustatif. Pour trancher dans le gras et le salé, c'est connu, rien de mieux que l'acidité. Évitez donc les vins mous, riches et opulents et optez pour des vins frais, légers et gouleyants.

En voici cinq qui devraient bien agrémenter votre prochain party de sirop !

Merlot 2014

Domaine de Moulines, Hérault, France

11,25 $
★⌐|$

13,5 % | 2,7 g/l
Code SAQ 620617

Petit rouge sans prétention que l'on peut ouvrir sans trop se casser la tête à savoir si ça ira bien ou non avec le sirop d'érable! Un nez facile offrant des notes de bleuets et de pâtisseries avec un arrière-plan légèrement végétal. C'est souple, peu tannique avec une matière fluide. Simple et bien fait. Il est surtout abordable. Assurez-vous de le servir plus frais que chaud (autour de 14° Celsius).

Genoli 2016

Ijalba, Rioja, Espagne

13,90 $
★★⌐|$ ½

13 % | 1,7 g/l
Code SAQ 883033

Le nouveau millésime du Genoli annonce toujours le retour du beau temps! Un blanc fait à 100 % de viura, cépage appelé macabeu en France. Le 2016 est très agréable. Des parfums bien sentis de fleur, de poire et une touche de miel. À nouveau, on est charmé par l'équilibre entre le côté gras et l'acidité vive donnant au vin un profil à la fois ample et nerveux. C'est sans doute l'un des meilleurs blancs à moins de 15 $.

Les Grands Éparcieux 2015

Domaine Chasselay, Beaujolais, France

20,25 $
★★★ | $$

13,5 % | 1,5 g/l
Code SAQ 12792092

Les vins à base de gamay, comme le beaujolais, sont sans doute la meilleure option pour la cabane à sucre. Ce sont habituellement des rouges souples et gouleyants pourvus d'une acidité naturelle qui permet de tenir tête aux plats gras et salés. La cuvée Les Grands Éparcieux de Claire et Fabien Chasselay se montre des plus convaincante dans sa version 2015, un millésime béni des dieux dans la région. Un nez hyper charmeur de fruit noir, de réglisse, de betterave et de violette laissant place à une bouche ample, fraîche et dotée d'une longue persistance aromatique. Servir assez frais (14° Celsius).

Beaujolais

Les Grands Éparcieux

Product of France

Fiumeseccu 2015

Domaine d'Alzipratu, Corse Calvi, France

23,30 $
★★★ | $$ ½

13,5 % | 2,3 g/l
Code SAQ 11095658

Encore une fois, le domaine corse d'Alzi-pratu nous propose une petite bombe – pas de jeux de mots, svp! Élaboré à partir de nielluccio (60 %), qui se trouve en réalité à être du sangiovese, un cépage répandu en Toscane, et de sciacarello (40 %), ce rouge épate tant par son côté sudiste affirmé que par sa fraîcheur. On retrouve des parfums d'eau-de-vie de cerise, d'olive, de garrigue et de maquis. En bouche, c'est friand, lisse, avec des tanins assez fins et surtout, cette excel-lente vivacité qui lui confère de la buvabilité.

Tête-à-Tête 2011

**Terre Rouge, Amador,
Californie, États-Unis**

31,25 $
★★★ | $$$

14,5 % | n.d. g/l
Code SAQ 10745989

Si vous tenez absolument à boire un rouge plus corsé, jetez votre dévolu sur cet excellent vin californien qui réunit les cépages rhodaniens grenache, mourvèdre et syrah. L'élevage en fût de chêne pendant 16 mois apporte des notes de fumée auxquelles s'ajoutent des parfums de prune, de confiture de figues et de viande fumée. Une matière charnue et dotée de tanins assez corpulents, mais la richesse du fruit compense, ce qui vient arrondir le vin sans le faire paraître « guidoune ». Finale soutenue et caressante. Difficile d'y résister !

7 VINS POUR LA VIANDE QUE VOUS AVEZ CHASSÉE

(ou pour celle que votre beau-frère chasseur vous a rapportée)

PAR
ÉLYSE
LAMBERT

J'ai la chance d'avoir quelques chasseurs passionnés dans la famille et mon beau-frère fait partie de ceux-là ! Il est aussi de ceux pour qui la saison de la chasse est « sacrée ».

Il nous rapporte canard, oie, perdrix, chevreuil selon la période, et on se régale avec des viandes savoureuses préparées avec soin. Je vous propose ici quelques vins pour accompagner les plats de gibiers, petits et grands, qu'ils soient grillés, braisés ou confits. Bonne dégustation !

Château Les Bouysses 2013

Cahors, France

17,80 $
★★★ | $$

12,5 % | 1,8 g/l
Code SAQ 972489

Ça faisait un moment que je l'avais dégusté, quelle agréable surprise que de redécouvrir ce cahors de belle facture, riche, puissant, joliment fruité et aux notes de réglisse typique du cépage. Le cahors est un vin du Sud-Ouest élaboré avec une dominance de malbec, cépage qu'on retrouve aussi beaucoup à Mendoza, en Argentine. Je vous le recommande pour accompagner le magret de canard. Optez pour une cuisson rosée pour une viande bien juteuse, le sang étant essentiel pour apprivoiser les tanins de ce vin bien structuré.

Pétales d'Osoyoos 2013

Osoyoos Larose, Canada

27,65 $
★★★ | $$$

13,5 % | 3,1 g/l
Code SAQ 11166495

Ce vin aux allures très bordelaises est un assemblage en dominance de merlot, complété en majorité par du cabernet sauvignon et du cabernet franc. Ses notes de cassis, de prune et de cacao font place à une petite pointe de feuille de cassis. Le bois est bien intégré et les tanins mûrs et fermes. Il fera un accord intéressant avec de la viande de cerf. Optez pour les parties que l'on peut griller ou rôtir, et éviter de trop cuire votre viande, sinon elle sera dure. Ce vin peut se garder de 2 à 4 ans au cellier, mais il est très joli maintenant.

Muga Reserva 2013

Rioja, Espagne

23,35 $
★★★ | $$ ½

14 % | 2,8 g/l
Code SAQ 855007

Un vieux classique de mon répertoire que ce rioja reserva de la maison Muga. Rioja est une des appellations les plus classiques de l'Espagne. On y élabore, de façon générale, des vins à base de tempranillo, le grand cépage rouge du pays. Le vin fait un passage en fût durant 24 mois, ce qui lui apporte une note boisée et des tanins patinés. Les arômes de sous-bois et de terre feront un accord des plus intéressant avec les braisés comme un osso buco de chevreuil, par exemple.

De Gras 2015

Cabernet Syrah, Vallée Centrale, Chili

10,20 $
★★ | $

13 % | 3,4 g/l
Code SAQ 12698346

Si vous aimez les vins chiliens, vous allez vous régaler avec cet assemblage de cabernet et de syrah. Ce vin typique de la région est offert à un prix dérisoire, ce qui fait qu'on peut très bien l'apporter à la caisse au camp de chasse. Le vin attaque sur des notes de cannelle et d'épices douces et fait place à beaucoup de fruit et une petite pointe de vanille bourbon. On en boit avec une viande bien saignante sur le BBQ et quelques légumes d'automne. On peut même badigeonner notre protéine de sauce Diane. Ce sera bon à s'en lécher les doigts.

Château Garraud 2012

Lalande de Pomerol, France

29,85 $
★★★ | $$$

14,5 % | 1,7 g/l
Code SAQ 978072

Nous voici sur la rive droite de Bordeaux avec un vin en dominance de merlot. Ce cépage est, à mon avis, à son meilleur dans cette région du monde et vaut la peine qu'on lui donne sa chance. Bien coloré et offrant des notes de cassis et de fruit noir mûr, il a une bonne structure, mais reste frais. C'est un bordeaux classique, tout à fait honnête. Ce vin pourrait s'accompagner d'une poitrine d'oie accompagnée de ratatouille.

Brunello di Montalcino 2011

Casanova di Neri, Italie

64,25 $
★★★★ | $$$$$

14,5 % | 1,9 g/l
Code SAQ 10961323

Appellation porteuse chez les amateurs de vin et qui fait de magnifiques accords à table, les vins de Giacomo Neri m'ont une fois de plus charmée. Le Brunello di Montalcino est à base de sangiovese grosso, un clone du sangiovese que l'on retrouve en Chianti. Ce vin appelle l'automne avec ses notes de sous-bois et de terre. La bouche est sur la prune et le cacao et, a une patine digne des grands vins. Vous allez vous régaler avec les petits gibiers comme la caille, la perdrix ou le lièvre. Ajoutez quelques champignons et je peux vous garantir que vous allez en redemander.

Château **Montus** 2012

Alain Brumont, Madiran, France

28,85 $
★★★ | $$ ½

14,5 % | 3 g/l
Code SAQ 705483

Locomotive du sud-ouest de la France, Alain Brumont est un des plus grands producteurs de la région. Amoureux du tannat et le travaillant de main de maître sur l'appellation madiran, il fait des vins classiques et structurés mais qui restent approchables et qui vieillissent à merveille. Cette cuvée — une de mes favorites du domaine — ne fait pas exception. Vous pouvez très bien la laisser en cave pour dix ans ou vous faire plaisir maintenant avec un cassoulet ou une côte de wapiti.

6 VINS POUR L'OSSO BUCCO, LES BRAISÉS ET LES BOUILLIS

PAR ÉLYSE LAMBERT

L'arrivée de l'automne et de la saison fraîche nous donne l'envie de revenir à des plats mijotés. L'odeur d'un bon braisé cuisant doucement sur la cuisinière a quelque chose de réconfortant.

La cuisson lente a l'avantage d'attendrir les pièces de viandes moins nobles, mais aussi de faire disparaître le sang de la viande qui joue un rôle important dans les bases d'accord vins et mets, permettant de dompter les tanins des vins plus structurés. Si vous avez quelques vieux vins à la maison, c'est peut-être l'occasion de les sortir, sinon voici quelques suggestions.

Baron de Ley 2013

Rioja Reserva, Espagne

21,45 $
★★★ | $$

13,5 % | 2,3 g/l
Code SAQ 868729

La région de la Rioja est une des régions historiques les plus importantes d'Espagne. C'est aussi la première à avoir obtenu la DOC (Denominacion de Origen Calificada), mention la plus prestigieuse dans la hiérarchie du système d'appellation. Le tempranillo y est le grand cépage et c'est ce dernier qui est utilisé pour l'élaboration du Baron de Ley. Élevé en fût américain pendant vingt mois, le vin est boisé, mais conjugue à cette note une jolie touche fruitée et des tanins présents mais patinés. Si vous ajoutez quelques lardons à votre braisé, ce sera un accord parfait.

Le Difese 2014

Tenuta San Guido, Toscane, Italie

29,95 $
★★★ | $$$

14 % | 1,9 g/l
Code SAQ 10987427

Producteur du fameux Sassicaia, vin emblématique de l'Italie, la Tenuta San Guido a une réputation qui n'est plus à faire. Je vous propose de découvrir ici la petite cuvée du domaine à prix beaucoup plus abordable. Le vin est en dominance de cabernet sauvignon, complété par du sangiovese. Le millésime 2014 a été plus frais et donne un vin plus élégant, aux notes de cassis, d'herbes fraîches et de terre. La bouche fait place à des tanins fondus et délicats. Avec un osso bucco, ce sera un accord à l'italienne, racé! Avis aux lecteurs, ce vin arrive de façon ponctuelle, il n'est donc pas disponible à l'année, gardez l'œil ouvert.

Saint-Émilion Grand Cru 2012

Antoine Moueix, France

26,70 $
★★⌐ | $$ ½

13 % | 2,7 g/l
Code SAQ 11769739

C'est difficile de trouver un bordeaux à bon prix et encore plus lorsqu'il s'agit de Saint-Émilion, fameuse région de la rive droite de la Gironde. Cette appellation, qui fait rêver les amateurs, propose des vins qui peuvent vieillir quelques années. La société Antoine Moueix nous propose un saint-émilion à prix imbattable, qui fait bonne figure avec ses jolies notes de cassis, sa pointe de cacao, de moka et de garrigue. Sa bouche boisée mais digeste aux tanins mûrs aura su me charmer. Le vin est très agréable à boire maintenant, mais pourrait être attendu quelques années. Avec un braisé et quelques champignons, ce sera réussi.

Colli Senesi 2016

Carpineta Fontalpino, Chianti, Italie

20,60 $
★★⌁ | $$

13 % | 2,1 g/l
Code SAQ 10854085

L'appellation italienne chianti est probablement une des plus connues des Québécois. On l'achète depuis des années et on continue à le faire, les ventes le démontrent. Ce petit domaine familial de six hectares non loin de la ville de Sienne est travaillé en agriculture biologique et son chianti à 100 % sangiovese est facile d'approche et sans lourdeur. Cassis, framboise et cerise au nez. Sa jolie bouche florale, aux notes de garrigue fait place à des tanins un peu serrés. Avec le bouilli de mon enfance, auquel ma mère ajoutait un peu de tomate, ce sera un accord de choix.

Barbaresco 2013

Produttori del Barbaresco, Italie

37,10 $
★★★↗ I $$$

14,5 % I 1,7 g/l
Code SAQ 12558909

L'appellation barbaresco se situe dans le Piémont, région du nord-ouest de l'Italie reconnue pour sa truffe, ses noisettes et ses grands vins. La cave coopérative de cette appellation, Produttori del Barbaresco, est un exemple à suivre pour sa rigueur et sa qualité. J'aime ce barbaresco pour sa signature classique et son rapport qualité-plaisir exceptionnel. Ce vin à base de nebbiolo offre de belles notes de pétale de rose séchée et de noyau de cerise. Ses tanins serrés, classiques du cépage, sauront se polir avec les années. Servez-le avec un osso bucco accompagné d'un risotto à la truffe, vous serez au paradis.

Château La Nerthe 2014

Châteauneuf-du-Pape, France

53,25 $
★★★★ | $$$$ ½

14 % | 3 g/l
Code SAQ 917732

Appellation emblématique de la vallée du Rhône méridionale, le châteauneuf-du-pape a le vent dans les voiles depuis quelques années et les prix de certains producteurs ont littéralement explosés. Château La Nerthe fait partie des domaines qui continuent d'année en année à nous proposer un vin classique sans excès, ni de fruit, ni d'alcool, ni de bois. Il s'agit ici d'un assemblage en dominance de grenache, de syrah et de mourvèdre, élevé en fût et en foudre pour ne pas marquer trop le vin. Durant les soirées froides, ce sera un compagnon de choix à un braisé accompagné de légumes racines rôtis.

5 VINS POUR TES SALADES, DU BOUT DES FEUILLES au bout de la racine

PAR ÉLYSE LAMBERT

Qu'on les aime crus ou cuits, entiers ou en morceaux, nature ou assaisonnés, les légumes font partie d'une alimentation saine. De plus en plus de gens les mettent de l'avant dans leur quotidien, apportant de la couleur à nos assiettes et beaucoup de bonnes vitamines à notre corps. Nous leurs consacrons une liste avec quelques suggestions d'accords vins et mets. À votre santé !

Empordá Sauló 2015

Espelt, Espagne

14,30 $

★★↗ | $ ½

14,5 % | 2,6 g/l
Code SAQ 10856241

Servis avec une salade de betterave rouge

La betterave est un aliment que j'aime beaucoup même si c'est long à cuire et que ça tache. C'est le type de légume qui grâce à ses saveurs peut faire de jolis accords en vin rouge. Le Saulo de Espelt m'est apparu comme le compagnon tout désigné de la betterave. Le vin est ultra fruité, aux notes de cerise et au nez racoleur. La bouche est gourmande, facile et simple, mais avec du charme. Ce vin en dominance de grenache saura mettre en valeur le côté sucré de la betterave et les tanins arrondis du vin sauront se faufiler sans problème. Un accord en simplicité qui a tout pour plaire.

Saumur 2015

Domaine Langlois Château, France

16,45 $

★★⫊ | $ ½

12 % | n.d. g/l
Code SAQ 710426

Servis avec une salade de tomates et basilic

L'accord avec la tomate peut se faire avec du sangiovese, grand cépage de la Toscane, mais on peut aussi penser au cabernet franc si notre tomate est accompagnée de basilic frais. Les aromates du basilic feront un tremplin aromatique aux notes légèrement végétales du cabernet franc. Le Saumur du domaine Langlois Château en est un bon exemple, léger, il ne manque pas de personnalité. Les notes de cassis, de graphite et d'humus, classiques du cépage, font place à une bouche gouleyante. Si vous êtes peu familier avec ce cépage, c'est un vin parfait pour commencer à l'apprivoiser.

Morogues 2015

Henry Pellé, Menetou-Salon, France

23,45 $
★★⌐ | $$ ½

12,5 % | 1,6 g/l
Code SAQ 852434

Salade de chicorée, pomme verte et fromage de chèvre

Un de mes accords classiques en gastronomie est le sauvignon blanc de la Loire et le fromage de chèvre. Cette salade en est un clin d'œil et, saura vous convaincre de la pertinence de cet accord régional. La chicorée apportera les notes végétales typique du sauvignon, qui sera aussi mis en valeur par le fruitée et l'acidité de la pomme verte. Le Menetou-Salon que je vous propose est légèrement herbacé et offre des notes de pomme et de melon miel. La bouche est ronde, tout en offrant une jolie acidité. Un accord tout aussi savoureux qu'agréable.

Catarina 2016

Bacalhoa, Peninsula de Setubal, Portugal

13,30 $
★★ | $ ½

13,5 % | 1,7 g/l
Code SAQ 11518761

Salade de pêches grillées, asperges et fromage halloumi

Pour accompagner cette salade, vous aurez besoin d'un vin blanc plus en rondeur et qui a du fruité. Dans cet esprit, voici une de mes valeurs sûres à moins de 15 $. Élaboré au sud de la ville de Lisbonne, ce vin est un assemblage de fernão pires, de chardonnay et d'arinto. L'élevage du vin se fait partiellement en fût et apporte juste ce qu'il faut de texture. Ses notes de pêche, de poire bien mûre et de miel font place à une bouche ronde et légèrement grillée. Un accord ensoleillé à ne pas manquer.

Cuvée des Conti 2015

Château Tour des Gendres, Bergerac, France

16,45 $
★★⤙ | $ ½

13,5 % | 1,8 g/l
Code SAQ 858324

Salade de pâtes au pesto

Le pesto est un ingrédient qui peut prendre beaucoup de place dans un plat. Le basilic, l'huile d'olive et les noix de pin sont autant d'ingrédients à forte personnalité qui apportent toutes les saveurs à cette préparation. C'est dans le sud-ouest de la France, à Bergerac, que j'arrête ma suggestion pour accompagner le pesto. La cuvée des Conti est en dominance de sémillon. Ce dernier apporte de la texture et fera un clin d'œil aux noix de pin et à l'huile d'olive. Le vin est complété par du sauvignon blanc, qui, lui, saura dompter le basilic. Un accord à petit prix qui ne manque pas de personnalité.

4 VINS POUR TES SAVOUREUX PLATS DE TOFU à L'ASIATIQUE

PAR
MATHIEU
TURBIDE

Fouillez dans tous les livres et manuels savants sur les accords mets et vins et vous ne trouverez pas beaucoup de suggestions pour le tofu. Pourtant, cette source de protéine est au cœur du menu de la plupart des végétariens et même de nombreux non-végétariens.

On entend souvent dire que le tofu ne goûte rien. Duh, c'est évident que si on le mange cru, sans aucun assaisonnement, le tofu est plutôt fade. Mais avez-vous essayé de manger du poulet cru non assaisonné? Vous verriez que ce n'est pas vraiment meilleur. (À ne pas essayer pour vrai à la maison, svp.)

Comme n'importe quelle autre protéine, il faut apprêter le tofu. On peut le mariner, le paner, le frire, le napper de sauces aigres-douces, piquantes, sucrées, parfumées.

Voici quelques suggestions pour nos variantes asiatiques préférées du tofu.

Conundrum 2015

California, États-Unis

23,55 $
★★⌐|$$ ½

13,5 % | 13 g/L
Code SAQ 10921073

Tofu frit sauce thaï

Quoi de mieux pour relever le tofu (idéalement un tofu demi-ferme frit) qu'une sauce thaï, aigre-douce, à la coriandre, citronnelle et piment? Et quoi de mieux qu'un vin blanc demi-sec, parfumé et fruité pour l'accompagner? Ce vin californien est un assemblage un peu étrange de chardonnay, sauvignon blanc, viognier et sémillon. C'est exotique et ample. Pas le genre de vin qu'on servirait régulièrement, mais dans le contexte d'un plat aux accents thaï, c'est parfait.

Pfaff Gewurztraminer Cuvée Bacchus 2015

Cave des vignerons de Pfaffenheim, Alsace, France

18,55 $
★★⌐|$$

13,5 % | 18 g/L
Code SAQ 00197228

Tofu frit aux arachides

En Chine, sur la rue, dans l'équivalent de nos *foodtrucks*, on sert le tofu frit avec une sauce aux arachides, très épicée. Il existe plusieurs versions de cette recette, mais s'il y a du tofu frit ou poêlé, avec du piment et des arachides, allez-y avec ce gewurztraminer alsacien, qu'on trouve partout. C'est un vin parfumé et demi-sec qui réussira à équilibrer la force du plat.

Riesling 2015

**Château
Ste. Michelle,
Columbia Valley,
Washington,
États-Unis**

19,55 $
★★✐ | $$

12 % | 19 g/L
Code SAQ 11882109

Tofu au sésame et au soya

Beau riesling demi-sec vraiment étonnant, surtout qu'il nous arrive de l'État de
Washington, sur la côte ouest américaine.
À l'aveugle, on pourrait croire à un riesling
allemand. Beaux arômes de zeste d'agrume,
avec des notes de cendre et de fumée de
bois. En bouche, ce sont les agrumes qui
l'emportent et qui tapissent la bouche. Belle
longueur.

Nelson 2016

**Pinot gris,
Waimea,
Nouvelle-Zélande**

19,95 $
★★★ | $$

13,5 % | 11 g/L
Code SAQ 11662018

**Sauté de tofu aux légumes
et au gingembre**

Même si vous n'aimez pas le pinot gris, vous
allez adorer celui-ci, aux accents de melon, de miel et de poire. Expressif au nez et
en bouche, avec une belle onctuosité, une
concentration et une longueur qui tiendra
tête au gingembre et aux épices orientales.

8 VINS POUR ACCOMPAGNER LE HOMARD ET AUTRES CRUSTACÉS

PAR
PATRICK
DÉSY

Qu'il vienne de la Gaspésie, des Îles-de-la-Madeleine ou des Maritimes — chacun a sa provenance préférée —, on se régale d'abord et avant tout de sa chair tendre et succulente, parfois grasse, parfois délicate, qui nous offre cette merveilleuse harmonie de saveurs sucrées-salées qui n'a d'autre pareille. C'est surtout la cuisson qui fait la différence. Selon qu'il soit grillé, cuit à la vapeur ou bouilli, le homard aura un goût différent. La façon dont il sera servi — nature, en sauce, en salade, en guédille, etc. — aura aussi une incidence sur ses saveurs. Voici donc huit vins pour pallier à toutes les situations.

Trio Reserva Sauvignon Blanc 2016

Concha y Toro,
Casablanca, Chili

13,65 $
★★ | $ ½

13 % | 1,2 g/l
Code SAQ 10327672

Offert à tout petit prix, ce sauvignon chilien de la maison Concha y Toro sera idéal avec le homard vapeur et servi nature avec quelques quartiers de citron. On sent bien justement les parfums d'agrume, de citron et de lime, le tout étant accompagné de petites notes herbacées. Le vin possède une acidité vive, des goûts prononcés et une texture passablement ample. C'est simple, frais et efficace. Le blanc passe-partout pour le homard apprêté de toutes les façons ou presque !

Chardonnay 2015

Errazuriz,
Aconcagua
Costa, Chili

22,95 $
★★★ | $$ ½

13 % | 2 g/l
Code SAQ 12531394

On reste au Chili, mais on s'intéresse à un chardonnay. Oubliez le style beurré, lourd et pataud qui faisait la pluie et le beau temps dans les années 2000. On est en présence d'un vin issu de sols schisteux situés dans un climat «froid». Profitant d'un séjour de 11 mois en barrique de chêne, il en ressort un vin aux accents citronnés avec des notes de fruit de la passion et de fumée. La bouche paraît grasse, avec un fruit tendre et une acidité vivante qui accentue la persistance en finale. Un chardonnay élégant et raffiné offert à très bon prix. Parfait avec le homard grillé ou bouilli servi en salade.

Chablis 2015

**Albert Bichot,
France**

21,10 $
★★★ I $$

13 % I 2,3 g/l
Code SAQ 17897

C'est bien connu, le chablis et les fruits de mer font toujours bon ménage, notamment grâce au côté salin-sucré que l'on retrouve tant dans le crustacé que dans le vin. C'est l'un des chablis les moins chers à la SAQ, mais pas pour autant le moins bon. La maison Albert Bichot ne cesse de faire du progrès. Parfums de bonne intensité et bien typés chablis avec cette impression minérale à laquelle s'ajoutent des notes de fruit blanc mûr. Issu d'un millésime «chaud», le vin montre un assez bon volume et plus de gras qu'à l'habitude, tout en conservant une trame acide donnant une grande buvabilité au vin.

Charles & Charles Rosé 2016

**Trinchero,
Columbia Valley,
Washington,
États-Unis**

16,60 $
★★ I $ ½

12,8 % I 3,5 g/l
Code SAQ 13189017

On pense évidemment au vin blanc lorsqu'on mange du homard, mais le rosé peut aussi faire un excellent accord. La chair délicate, charnue et goûteuse du crustacé demande cependant d'aller vers un vin élégant, de bonne complexité et gourmand. Celui élaboré par l'iconoclaste Charles Smith, dans l'État de Washington, est assez surprenant. Nez agréable d'agrume et de fraise. La bouche montre une certaine richesse avec sa rondeur assumée, mais elle profite d'une acidité vibrante qui apporte de la fraîcheur à l'ensemble, ce qui permettra à ce vin de bien passer avec le beurre à l'ail citronné.

Pinot Gris « Barriques » 2014

Domaine Ostertag, Alsace, France

35,25 $
★ ★ ★ | $$$ ½

12,5 % | 5,6 g/l
Code SAQ 866681

Si vous souhaitez sortir des sentiers battus, optez pour un pinot gris. Celui élaboré par le talentueux André Ostertag est une excellente option. Ayant séjourné en fût de chêne, le nez offre des tonalités agréables d'abricot, de jasmin et de fleur blanche avec un boisé très subtil qui se dévoile au fur et à mesure que le vin monte en température. Une jolie bouche, d'assez bonne richesse, sans être lourde ni boisée. Bonne acidité en finale qui permet de garder un profil sec malgré un peu de sucre résiduel. Déjà bien bon lorsque pris seul, il est encore meilleur sur un homard thermidor.

Kloof Street Chenin blanc 2016

Mullineux, Swartland, Afrique du Sud

23,30 $
★ ★ ★ | $$ ½

13,5 % | 2 g/l
Code SAQ 12889409

Que du bonheur ici avec ce chenin sud-africain issu de vieilles vignes non irriguées poussant sur des sols dominés par le granit. Levures indigènes. Le vin est vinifié et élevé pour 85 % en cuve inox, le reste en barriques de cinq vins. Peu sulfité, ce blanc est particulièrement prenant au niveau aromatique avec des tonalités précises et affriolantes de résine, de miel, de citron confit, d'herbes séchées et une impression de craie à tableau. La bouche est ample, richement constituée tout en montrant une acidité vibrante, ce qui fait saliver. On décèle une pointe d'amertume en finale, ce qui permettra de faire un lien avec la chaire du homard ou du crabe.

L'Arpent des Vaudons 2015

Domaine des Bois Vaudons, Touraine, France

20,95 $
★★⌐ | $$

12 % | 2,5 g/l
Code SAQ 12564233

Provenant de vignes d'une soixantaine d'années cultivées en bio sur des sols crayeux, ce sauvignon blanc de Jean-François Mérieau est un bel exemple de la montée qualitative des blancs de Touraine. Vinifié et élevé en cuve inox, le vin montre de jolis parfums de citron, de buis et d'herbe coupée, et de miel, mais sans les odeurs végétales parfois désagréables qu'on retrouve trop souvent dans ce genre de vin. La bouche est délicate, avec un fruit mûr, tendre, presque enveloppant, tout en montrant une belle vivacité. Finale parfumée, fraîche et salivante qui évoque des senteurs de craie et de citron. À boire goulument avec les guédilles de homard !

Grüner Veltliner Terrassen 2015

Domäne Wachau, Wachau Federspiel, Autriche

19,85 $
★★★ | $$

12,5 % | 1,6 g/l
Code SAQ 13110268

Très à la mode auprès des jeunes sommeliers, on pourrait comparer le grüner veltliner à un croisement entre le riesling et le pinot gris. Provenant de la Wachau, l'une des meilleures régions autrichiennes, le vin porte la mention Federspiel, une classification qui veut dire qu'il est issu de raisins assez riches et concentrés, mais avec un taux d'alcool contenu entre 11,5 % et 12,5 %. Contrairement à ce que l'on peut penser, c'est un vin bien sec, malgré l'impression de volume et de densité en bouche. Bien odorant avec des parfums de poivre blanc, de pomme verte, de citron confit et de caillou mouillé. C'est frais, tonique et très agréable. Match intéressant avec le homard grillé.

6 VINS POUR ACCOMPAGNER LES HUÎTRES ET LES AUTRES MOLLUSQUES

PAR
ÉLYSE
LAMBERT

Nous avons accès depuis quelques années à une qualité et à une variété exceptionnelle d'huîtres et autres produits de la mer. Que ce soit pour les pétoncles, les moules, les escargots ou les palourdes, le vin doit être choisi en fonction du mollusque, mais aussi en tenant compte de la façon dont ils sont apprêtés, ainsi que de leurs accompagnements.

Vous aimez vos huîtres fraîches et salines, recherchez un vin qui aura les mêmes caractéristiques. Chablis, sancerre et muscadet seront ici des compagnons de choix. Si vous préférez les huîtres chaudes, de style Rockefeller, vous pourrez vous permettre un vin de style chardonnay légèrement boisé, plus en rondeur. Pour certaines préparations, comme le ceviche par exemple où la coriandre et le citron vert domineront, optez pour un vin blanc aromatique de style sauvignon blanc. Et maintenant à table !

Pyrène Gros Manseng 2016

**Lionel Osmin,
Côtes de
Gascogne, France**

15,20 $
★★ | $ ½

13 % | 4,5 g/l
Code SAQ 13188778

Ce vin est une nouveauté au répertoire général de la SAQ. Élaboré par Lionel Osmin, négociant talentueux du Sud-Ouest de la France, celui-ci est issu de gros manseng, un cépage indigène de cette région. Élaboré pour conserver un maximum de fruité et de fraîcheur, le vin est aromatique et croquant, aux arômes de pamplemousse rose avec une petite pointe exotique. Apéritif intéressant sans aucun doute, il pourrait aussi accompagner un carpaccio de pétoncles avec une vinaigrette aux agrumes.

Les Pins de Camille 2015

**Ormarine, Picpoul
de Pinet, France**

13,10 $
★★ | $ ½

13 % | 1,5 g/l
Code SAQ 266064

Cette petite appellation est la seule du Languedoc à ne produire que du vin blanc sec. Ses vins, comme son nom l'indique, sont élaborés exclusivement à partir du cépage picpoul. Le vin de ce domaine a une constance exemplaire, qui en fait une de mes valeurs sûres à petit prix depuis des années. Cépage frais, aux notes de poire et de fleur blanche, il offre une acidité qui garde la bouche fraîche, sans agresser. Élégant et rarement boisé, ce vin peut servir d'apéritif si vous n'avez pas envie de bulles, mais pourrait aussi accompagner des moules au vin blanc.

Capitel Croce 2014

Anselmi, Veneto, Italie

26,45 $
★★✦ | $$ ½

13 % | 8,9 g/l
Code SAQ 928200

Nous voici avec ce vin, en Vénétie, au pays de Roméo et Juliette. Anselmi, un des grands producteurs qualitatifs de la région, a choisi de se retirer de l'appellation soave au début des années 2000, croyant que celle-ci ne partageait plus les valeurs qualitatives propres à ses vins. C'est donc sous l'appellation plus générique de veneto qu'il produit son Capitel Croce fait à base de garganega élevé quelques mois en fût de chêne. Le vin est frais et droit, avec une petite pointe de melon miel et de paille. Sa jolie texture fait place à des amers qui apporte de la longueur au vin. Il sera parfait avec un risotto ou des pâtes aux fruits de mer, un classique de la région.

La Sereine 2015

**La Chablisienne,
Chablis, France**

21,90 $
★★↙|$$

12,5 % | 2 g/l
Code SAQ 565598

Le chablis est un accord classique avec les huîtres. Si on aime le chardonnay à l'acidité fraîche et au fruité délicat, c'est à ne pas manquer. Je ne peux ici passer sous silence la qualité de la cave coopérative la Chablisienne qui produit 25 % des vins de la région. La charte de travail établie par celle-ci permet d'obtenir une très bonne matière première et nous propose des prix plus qu'honnête pour la qualité du vin proposé. Le vin est frais et classique, aux notes de pomme verte et de citron. Sa bouche est équilibrée, bien typée et ne manque pas de personnalité. C'est une bonne entrée en matière si vous découvrez les vins de la région.

Brut, Pol Roger

**Champagne,
France**

61,50 $
★★★★|$$$$$

12 % | 11 g/l
Code SAQ 51953

La maison Pol Roger élabore un champagne brut qui fait partie de mes favoris depuis des années. Assemblage en proportion égale de chardonnay, de pinot noir et de pinot meunier, il offre un très joli nez grillé et complexe, qui fait place à une bouche ronde et riche. La bulle est fine, le vin est droit et net avec de la longueur. Si le champagne peut être l'apéritif parfait, il le sera d'autant plus avec quelques huîtres gratinées.

Florès 2015

Vincent Pinard, Sancerre, France

36,25 $

★★★ | $$$ ½

13,5 % | 2,2 g/l
Code SAQ 12097962

Cette région du centre de la Loire, où le sauvignon blanc est maître, nous propose des vins aux acidités vivifiantes et souvent avec une fin de bouche bien minérale rappelant la craie et le caillou mouillé. Le domaine Vincent Pinard possède 17 hectares en culture biologique. Sa cuvée Florès est droite et précise, aux notes d'agrume, de pomme verte et de chèvrefeuille. La bouche est serrée et tendue. Si vous aimez manger vos huîtres avec une pointe de citron frais ou une mignonette aux herbes fraîches, ce sera une harmonie de choix.

5 VINS QUI COULERONT COMME SUR LE DOS D'UN CANARD

PAR
ÉLYSE
LAMBERT

Il y a 15 ans, le canard était un mets rare et peu accessible à moins d'être un bon chasseur. Il fait partie aujourd'hui des plaisirs de la table des Québécois et il est tout à fait facile à trouver et à apprêter. Comme il peut être cuit entier ou en partie, confit ou laqué, voici les suggestions appropriées en fonction de votre façon d'interpréter la préparation de ce volatile.

Tinto 2015

Lavradores de Feitoria, Douro, Portugal

14,50 $

★★ | $ ½

13 % | 2,6 g/l

Code SAQ 11076764

Lavradores de Feitoria est le fruit d'un projet unique issu de l'union d'une quinzaine de producteurs de la région du Douro. Ces derniers ont accès à plus de 600 hectares de vignobles et nous propose un vin en assemblage des cépages de la région. Travaillé sur le fruit et élevé seulement en cuve, le vin aux arômes de fruit noir mûr est facile d'approche. C'est croquant et légèrement tannique. Un rouge qui a de la personnalité à prix imbattable. Pour une poitrine de canard, si tout le budget est passé sur l'oiseau, on ne se trompe pas.

Zinfandel, Old Vine Lodi 2015

Ravenswood, États-Unis

21,35 $

★★ | $$ ½

15 % | 2,2 g/l

Code SAQ 630202

Le zinfandel, ce grand cépage américain a parfois mauvaise presse à cause de sa version rosé. La maison Ravenswood fait partie des passionnés qui travaillent ce cépage avec enthousiasme et rigueur. Le vin attaque sur des notes de framboise, de confiture de fruit noir, de réglisse et de vanille. Sa bouche est capiteuse et bien fruitée, gourmande à souhait. Si vous avez envie d'une préparation plus exotique, le canard laqué saura tenir tête à ce zinfandel. Une façon parfaite d'amadouer la bête tout en mettant en valeur le côté sucré et épicé de la laque.

Bramito Chardonnay 2016

Castello della Sala, Ombrie, Italie

22,55 $

★★⌐ | $$ ½

12,5 % | 2,2 g/l
Code SAQ 10781971

Le confit de canard est maintenant largement distribué en épicerie et facile à trouver. C'est un dépanneur incroyable, puisque en vingt minutes vous pourrez avoir votre souper sur la table. Pour accompagner le confit, rien de mieux qu'un chardonnay légèrement boisé. C'est d'ailleurs ce que je vous propose avec cette valeur sûre élaborée par le domaine italien Antinori. Ce chardonnay subit un élevage partiel en fût qui lui apporte une touche boisée modérée et juste ce qu'il faut de texture pour taquiner la cuisse confite.

Berardenga 2013

Felsina, Chianti Classico, Italie

29,60 $

★★★ | $$$

14 % | 1,8 g/l
Code SAQ 898122

Le domaine Felsina se situe au sud de l'appellation chianti classico et nous propose des vins à facture classique, mettant de l'avant le sangiovese, grand cépage de l'appellation et figure emblématique de la Toscane. Si vous avez envie de cuire votre canard entier avec quelques herbes séchées et de le servir avec son jus de cuisson, vous aurez besoin d'un vin comme celui-ci. Ses notes de cerise et de tabac, et sa bouche racée et fraîche rappelant la terre et une petite pointe de boîte à cigare, sauront se marier à merveille à votre bête à plume.

Château Lamartine 2013

Cahors, France

18,60 $
★★ | $$

13 % | 1,6 g/l
Code SAQ 11343404

Pour terminer ce tour d'horizon, ma dernière suggestion va à un accord classique
avec le magret de canard servi bien rosé, un
vin de cahors, appellation du Sud-Ouest de
la France. Cette région est le terroir de prédilection du malbec. La cuvée du Château
Lamartine en est d'ailleurs majoritairement
constituée et complétée par un peu de merlot. C'est un cahors assez traditionnel auquel
on a affaire. Les notes de fruit noir, de mûre,
de bleuet et de réglisse, font place en bouche
à une petite pointe de cuir et de sous-bois. Le
vin a de la matière, mais sans excès.

5 ACCORDS MERVEILLEUX AVEC LE CHOCOLAT

PAR
ÉLYSE
LAMBERT

Le chocolat est un de mes aliments préférés. J'essaie d'en consommer avec modération, mais j'opte toujours des produits de très bonne qualité.

Parmi mes bonnes adresses se trouvent Les Chocolats de Chloé, Chocolats Geneviève Grandbois et Mama Choka. J'ai expérimenté depuis plusieurs années les accords possibles avec cet aliment. Voici donc quelques accords classiques qui font partie de mes favoris.

Tawny 10 ans

Kopke, Porto, Portugal

17,95 $ (375 ml)

★★★ I $$

20 % I 114,2 g/l

Code SAQ 13035683

Nouveau produit sur les tablettes de la SAQ, ce porto arrive avec un format tout à fait sympathique. Il s'agit ici d'un porto élevé en milieu oxydatif, ce qui lui a permis de développer les notes de noisette, de caramel et de toffee classique à la famille des tawny. Ce porto, malgré ses 110 grammes de sucre, reste bien équilibré et sera un accord intéressant à vos desserts à base de caramel, de chocolat au lait et d'érable. Servez-le frais et si vous ne terminez pas la bouteille, vous pourrez le conserver quelques jours au frigo sans problème.

Vintage 2013

Mas Amiel, Maury, France

21,05 $ (375 ml)

★★⤴ I $$

16 % I n.d. g/l

Code SAQ 733808

Maury est une appellation qui fait des vins rouges de table, mais aussi des vins de dessert tout à fait délicieux. Le Mas Amiel est un domaine de grande superficie, mené de main de maître par Olivier Decelle. Le Maury Vintage est à base de grenache noir qu'on élabore à l'abri de l'oxygène pour conserver au maximum la pureté de son fruit. Son attaque aux notes de bleuet et de cacao fait place à une bouche sucrée sans excès. Si vous aimez le chocolat aux bleuets des Pères Trappistes, ce sera le compagnon parfait pour un accord magique.

Banyuls Reserva

Domaine de la Tour Vieille, France

32 $
★★⌐ | $$$

17 % | n.d. g/l
Code SAQ 884916

Banyuls est une appellation de vins doux naturels du Sud de la France. Situées aux frontières de l'Espagne, les vignes ont littéralement les pieds dans la mer. Ce vin aux allures de porto s'en différencie par sa charge en alcool moins élevée et son caractère cacaoté apporté par le grenache élevé en milieu oxydatif. Le domaine de la Tour Vieille élabore différentes cuvées, mais c'est à mon avis la Reserva qui fait les accords les plus réussis avec le chocolat noir. Servez-le frais et en petite quantité. Le vin peut aussi se conserver quelques jours au frigo une fois la bouteille ouverte.

Passito di Pantelleria 2016

Carlo Pellegrino, Italie

23,55 $

★★★ | $$ ½

15 % | 180 g/l
Code SAQ 742254

Situé sur l'extrême nord-ouest de la Sicile, le domaine Carlo Pellegrino fut fondé en 1880. Spécialisé en vin de marsala, le domaine élabore aussi une cuvée à base de muscat, principal cépage de Pantelleria, petite île volcanique au milieu de la Méditerranée. Le vin est conçu par passerillage – cette étape consiste à laisser sécher le raisin qui va se concentrer en sucre. Il en résulte un vin de dessert aromatique et charmeur, aux notes d'orange confite, avec une petite pointe florale, classique du muscat. Il sera un accompagnement parfait à quelques écorces d'orange confites enrobées de chocolat.

Cuvée Controversée 2015

**Domaine des Salamandres,
Poiré de Glace, Québec**

29,35 $ (375 ml)
★★★ | $$$

10,5 % | 180 g/l
Code SAQ 12622085

Situé dans les contreforts des Adirondacks, le Domaine des Salamandres est une entreprise familiale créée il y a plus de 10 ans et qui produit aujourd'hui certains des plus beaux poirés au Québec. Sa Cuvée Controversée est élaborée par cryoextraction à partir de poires Bosc et Beauté flamande, ce qui donne un nectar fabuleux, aux notes de poire mûre, de caramel blond et de fruits secs. Il pourra accompagner avec succès les desserts au chocolat blanc. À servir bien frais.

6 ACCORDS METS-VINS QUE TU DOIS ABSOLUMENT ARRÊTER DE FAIRE

PAR
ÉLYSE
LAMBERT

Je suis dans le domaine du vin depuis maintenant vingt ans et je peux vous dire que les choses ont bien changé au fil des modes, mais aussi au fur et à mesure que les Québécois ont découvert de nouvelles régions viticoles, de nouveaux mets et de nouvelles tendances alimentaires.

L'accord mets-vin est intéressant et peut changer la dégustation d'un vin ou d'un plat en une véritable expérience où l'un et l'autre sont mis en valeur pour ne faire qu'un. Cette notion n'est pas l'apanage de tous et loin de moi l'idée de forcer l'accord mets-vin. Si vous avez envie de boire du vin blanc frais avec votre steak, je vais être la première à vouloir vous le servir. La priorité dans le monde du vin c'est le plaisir. Ceci étant dit, si vous êtes épicuriens et avez envie d'amener votre expérience gastronomique à un autre niveau, voici certains accords que je vous suggère d'arrêter de faire.

Vin rouge... ou blanc et chocolat

Probablement l'accord sur lequel j'ai le plus souvent de discussions avec clients et collègues. Dernièrement, cette notion a été mise de l'avant par certains chocolatiers... et j'aurais tendance à dire ici : chacun son métier. Lorsque vous avez un produit qui a du sucre comme le chocolat, vous devez avoir un vin qui aura lui aussi du sucre, autrement dit un vin de dessert. C'est la base de l'accord mets-vin. Je vous suggère pour un accord réussi avec le chocolat le banyuls, un vin doux naturel du sud de la France et aussi un classique en gastronomie. Si vous aimez le chocolat au caramel, un porto tawny sera tout à fait approprié

Vin mousseux et dessert

Pour les mêmes raisons expliquées précédemment, pour obtenir un accord heureux, vous devez marier un vin qui aura sensiblement la même sucrosité que le dessert. Vous pouvez donc oublier le service d'un mousseux brut avec quelques desserts que ce soient et privilégier les bulles à l'apéritif. Si vous voulez absolument un vin effervescent au dessert, choisissez un vin mousseux demi-sec ou doux et un dessert léger et frais à base de fruits. Ma suggestion, un moscato d'asti avec un clafoutis aux pêches, vous allez vous régaler.

Vin rouge et fromage

Cette vieille habitude fait jusqu'à un certain point du sens pour plusieurs amateurs ; de façon générale, lorsqu'on termine un plat de résistance, du vin rouge se trouve dans notre verre. Il est donc naturel de vouloir enchaîner avec du fromage tout en buvant le même vin ou du moins en continuant avec du vin rouge. Ceci dit, la plupart des fromages vont mieux de par leurs arômes, leur goût et leur texture avec le vin blanc. Vous avez donc deux options à ce moment, soit privilégier les quelques fromages de style tomme qui pourrait aller avec du vin rouge, soit revenir à un vin blanc avec des fromages de style pâte molle à croûte fleurie ou du fromage de chèvre.

Sauternes et chocolat

Le chocolat est un aliment particulier quand il s'agit de l'accord vin et mets, mais aussi un de mes produits alimentaires préférés. Croyez-moi les tests sur ce produit, je les ai faits pour le travail, mais surtout pour le plaisir. La présence de sucre, mais aussi les notes et les textures se rattachant au cacao demande une attention particulière. En ce sens, le sauternes n'a pas les arômes pour pouvoir mettre en valeur le cacao. Si vous voulez faire de beaux accords avec le sauternes, privilégiez l'accord de contraste avec, par exemple, du foie gras ou du roquefort. Sinon, avec un dessert comme une tarte tatin, ce sera magnifique.

Vin tannique et viande bien cuite

Vous aimez manger votre filet mignon bien cuit, cette rubrique est pour vous. La viande qui n'a plus de sang et qui contient très peu de gras n'aura pas les éléments nécessaires pour dompter les tanins et rendre l'accord possible et, surtout, agréable. Si vous voulez un accord réussi avec votre steak bien cuit, optez pour un vin aux tanins polis, un vin en dominance de merlot ou de grenache par exemple.

Vin cher ou défectueux dans la sauce

Je me fais poser la question de façon régulière, j'ai donc pensé ajouter ce petit commentaire à ma rubrique accord mets-vin, même si ce n'en est pas exactement un. Lorsque vous préparez une sauce et que vous devez y ajouter du vin, vous n'avez pas besoin d'utiliser le même produit que vous boirez avec votre plat, *a fortiori* si votre vin est cher. N'importe quel produit de base pourra convenir. Par contre, si vous avez un vin défectueux, bouchonné par exemple, évitez de l'utiliser, vous risquez de gâcher la sauce.

7 VINS POUR LA POUTINE SOUS TOUTES SES FORMES

PAR
MATHIEU TURBIDE

La poutine, c'est étrange. On dit que c'est le plat «national» des Québécois, pourtant on n'en mange pas vraiment souvent, en tout cas, pas à la maison.

Le célèbre mélange de frites, de fromage et de sauce brune vit toute une renaissance dans les restaurants d'ici et d'ailleurs. On trouve maintenant des versions de la poutine un peu partout sur la planète, en bonne partie grâce (ou à cause?) des hipsters qui l'ont élevé au rang de plat «cool» et «trendy».

Traditionnellement, on mange la poutine soit dans des cantines populaires de campagne (où on ne sert pas de vin) ou alors, en fin de soirée, en ville, dans des restaurants toujours ouverts après la fermeture des bars. On la fait donc plus souvent passer avec une boisson gazeuse qu'avec un vin fin.

Mais si on essayait?

Gentil 2016

Hugel, Alsace, France

16,45 $
★★⌐ | $ ½

12,5 % | 4,3 g/l
Code SAQ 00367284

Avec une poutine traditionnelle

Le «gentil», c'est le nom qu'on donne en Alsace aux vins d'assemblage. Celui de la maison Hugel est disponible au Québec depuis plusieurs années. On y trouve du gewurztraminer, du pinot gris, du riesling, du muscat et du sylvaner. C'est un véritable passe-partout, fruité mais sec, épicé mais fin, gras mais vif. Parfait pour couper le gras de la sauce brune.

Bonacosta 2015

Masi, Valpolicella, Italie

15,55 $
★★ | $ ½

Code SAQ 00285585
12 % | 4,7 g/l

Avec une poutine italienne

Une poutine italienne, c'est comme un «spaghatt» gratiné, mais avec des frites au lieu des pâtes. Même logique que pour le spaghetti, une sauce tomates bolognaise avec beaucoup de viande demande un rouge plein de fruit, nerveux, souple et sans tanins. C'est exactement le profil de ce beau vin de la Valpolicella.

Riesling Hanwood Estate 2016

**McWilliam's,
Southern
Australie,
Australie**

14,70 $
★★ | $ ½

12 % | 5,6 g/l
Code SAQ 10754607

**Avec une poutine au bacon et/ou
aux saucisses à hot-dog**

L'ajout de viandes fumées, comme le bacon, le jambon ou la saucisse, apporte une dimension plus grasse et plus salées à notre poutine. Pour équilibrer tout ça, il faut un vin qui offre non seulement du fruit, mais de l'acidité, donc idéalement un blanc. Ce riesling australien fera l'affaire, avec ses notes d'agrume et de fumée.

Petit chenin blanc 2016

**Ken Forrester,
Western Cape,
Afrique du Sud**

13,55 $
★★↗ | $ ½

13,5 % | 4,2 g/l
Code SAQ 10702997

Avec une poutine « galvaude »

La « galvaude », c'est la version hot chicken de notre poutine nationale, très populaire dans l'est du Québec, avec du poulet effiloché et des petits pois. Évidemment, la galvaude est très différente d'un restaurant à l'autre, mais dans tous les cas, on vous suggère ce « petit » chenin blanc d'Afrique du Sud, aux accents de miel, de pomme et d'agrume avec ce qu'il faut de sucre résiduel et d'acidité pour tenir tête à la puissance du plat.

Cuvée Jean 2014

**Château Jolys,
Jurançon, France**

22,80 $
★★★ | $$ ½

13 % | 91 g/l
Code SAQ 00913970

**Avec de la poutine au foie gras
(à la façon du Pied de cochon)**

Le summum de la «cochonceté». Ce désormais classique, que l'on doit au chef Martin Picard, mérite un vin particulier. On vous propose un jurançon doux, fait à 100 % du cépage petit manseng. C'est parfumé, riche et exotique. Et pourtant sans lourdeur, grâce à l'acidité du petit manseng. À déguster à petites doses, comme la poutine d'ailleurs.

Riesling 2016

**Dr. Loosen, Mosel,
Allemagne**

15,30 $
★★⌐ | $ ½

8,5 % | 47 g/l
Code SAQ 10685251

Si vous cherchez un vin moins riche en sucre, voici une option à petit prix : un riesling allemand, l'entrée de gamme de la maison familiale Dr. Loosen. Avec la moitié du sucre du jurançon, vous aurez encore de la matière, des notes de citron confit et de fumée, une belle présence en bouche.

Chablis 1er cru Les Vaillons 2014

Domaine Laroche, France

37,75 $
★★★ | $$$ ½

12,5 % | 1,6 g/l
Code SAQ 13178481

J'ai redécouvert les vins du domaine Laroche lors de ma dernière dégustation avec ce producteur. Les vins ont gagné en précision grâce à un travail attentif tant au niveau du vignoble que de la cave et les prix sont restés raisonnables. Ne passez pas à côté du premier cru « Les Vaillons », sur le millésime 2014, il est particulièrement bien réussi. Le nez, sur la pierre à fusil, est grillé et crayeux. La bouche a beaucoup de matière et se termine sur une petite pointe de yogourt à la pêche et d'écorce de pamplemousse. Ce vin pourra accompagner à merveille quelques pattes de crabe. Ce chablis est disponible qu'en petite quantité. Si vous ne réussissez pas à mettre la main dessus, n'hésitez pas à opter pour une autre cuvée du domaine.

Chardonnay, Reserve 2015

Mission Hill, Colombie-Britannique, Canada

18,65 $
★★ | $$

13,5 % | 4,3 g/l
Code SAQ 11092078

Vous pensiez plutôt à un repas avec le traditionnel jambon de Pâques, alors voici ma suggestion. Un chardonnay boisé issu de la vallée d'Okanagan et produit par un des domaines phares de la région. Fait intéressant, Okanagan est la région la plus chaude du Canada. Cette dernière produit 95 % des vins en Colombie-Britannique. Si vous aimez les vins ronds, aux notes de pêche et de noisette et à la bouche généreuse, vous serez servi. Le travail du bois est présent mais pourra faire un bel accord avec le jambon ou un fromage à pâte molle et croûte fleurie tel le Laliberté ou le Riopelle.

Rosé Gabrielle 2016

Vignoble Rivière du Chêne, Québec

14,70 $
★★ | $ ½

12,5 % | 3,1 g/l
Code SAQ 10817090

Voici une belle surprise qui sera un passe-partout de choix pour le brunch. Ce rosé saura agrémenter les quiches, les salades, les fromages et pourquoi pas un peu de saumon pour une rencontre plus colorée. Le millésime 2016 du rosé Gabrielle est proposé avec un nouvel habillage, mais aussi avec un vin plus précis que par le passé. Assemblage en dominance de seyval noir et complété de plusieurs autres cépages locaux, c'est un rosé aromatique et fruité à l'attaque, offrant des notes de petits fruits rouges frais. Le vin est sec et bien équilibré, c'est une belle découverte à prix très compétitif.

Bergerie de l'Hortus 2015

**Domaine de l'Hortus,
Languedoc Pic Saint Loup,
France**

20,30 $
★★★ | $$

13 % | 2,1 g/l
Code SAQ 427518

Le domaine de l'Hortus est propriété de la famille Orliac, qui élabore des vins de la région de Pic Saint Loup depuis 1990. Le Bergerie 2015, l'entrée de gamme de la maison, est une belle réussite et vaut pleinement son prix. Si vous aimez les vins du Languedoc qui ont de la fraîcheur, vous allez vous régaler. Issu d'une dominance de syrah à 60 %, complété par du grenache et une petite touche de mourvèdre, c'est une véritable petite bombe de fruit, qui a du croquant. Si vous cherchez un rouge qui saura faire l'unanimité autour de la table, le voici!

6 GINS QUÉBÉCOIS QUI NE SONT PAS SEULEMENT ORIGINAUX, MAIS QUI SONT AUSSI... BONS !

PAR PATRICK DÉSY

La passion pour le gin ne fait qu'amplifier au Québec. Si bien que les distilleries commencent elles aussi à se multiplier pour le grand bonheur des amateurs qui veulent boire « local ». En voici six qui méritent votre attention.

Gin 375 Édition Limitée

Cirka

37,75 $ (375 ml)

40 %

Code SAQ 13384365

À l'occasion du 375e anniversaire de la fondation de Montréal, l'une des premières distilleries de la métropole a élaboré une édition spéciale à base de produits forestiers provenant du Québec. C'est un gin de type «Old Tom». De couleur plus ambrée avec un nez qui mélange épices et notes florales, il donne une impression de rondeur et une finale mentholée. À déguster seul avec quelques glaçons et un trait de lime.

Piger Henricus

Les distillateurs subversifs - Latitude45

30,75 $ (500 ml)

43 %

Code SAQ 13222711

Gin au caractère sauvage, avec le panais parmi la liste des ingrédients. C'est fait par Les distillateurs subversifs, une microdistillerie située près de Saint-Jean-sur-Richelieu, en Montérégie. Effluves de baie de genièvre, de coriandre et de zeste de citron.

Km12 Monts-Valin Gin Boréal

Distillerie du Fjord

46 $ (750 ml)

40 %

Code SAQ 13394918

Entreprise familiale créée par les frères Jean-Philippe et Benoît Bouchard et leur paternel Serge au Saguenay. Produit et embouteillé à Falardeau avec de l'eau filtrée naturellement par les monts Valin et recueillie au kilomètre 12 du chemin des monts Valins. Notes distinctives tirées d'épices sauvages cueillies à la main dans la région.

Gin de Neige

La Face Cachée de la Pomme

30,75 $ (500 ml)

43 %

Code SAQ 12755081

Un gin original à base de grains canadiens et d'eau de pomme issue de cidre de glace. C'est léger, féminin, un peu sauvage et surtout savoureux. Il contient des herbes du Québec telles que les baies du genévrier, le mélilot, l'épinette blanche et le lichen.

Gin St. Laurent

Distillerie du St. Laurent

48,25 $ (750 ml)

43 %

Code SAQ 12881538

Parfumé aux laminaires, des algues qui poussent dans le fleuve Saint-Laurent, ce gin est possiblement le plus salin de ceux fabriqués au Québec. Le tout est produit à Rimouski, dans le Bas-du-Fleuve. Original.

Dandy Gin

Domaine Lafrance

39,75 $ (750 ml)

42,3 %

Code SAQ 13385827

Issu de la distillation d'eau-de-vie de pomme, de raisin et de poire sur des aromates de genièvre, de coriandre, de réglisse, de cardamone, de zeste d'orange et de citron, de muscade et de fleur de pommier. On sent d'ailleurs bien la pomme en finale.

3 TONICS D'ICI QUI VONT TE CHANGER DU SCHWEPPES

PAR
PATRICK
DÉSY

Le gin-tonic est à la mode, bien que son invention remonte au XIXe siècle. Les officiers anglais en poste dans les pays chauds, comme l'Inde, prévenaient la malaria en consommant de l'eau tonique contenant de la quinine, un antipaludique naturel. Mais en raison de l'amertume du « médicament », les Anglais ont pris l'habitude de le mélanger avec du gin. C'est ainsi qu'est né le gin-tonic. Depuis, la quinine naturelle a été remplacée par la quinine synthétique.

Ces dernières années, les sirops toniques artisanaux, faits à partir de véritable quinine et qu'on allonge avec de l'eau pétillante, se sont multipliés. Non seulement sont-ils faits à partir d'ingrédients naturels, mais ils risquent de vous détourner du tonic commercial pour toujours !

On les trouve en épicerie fine ou sur alambika.ca.

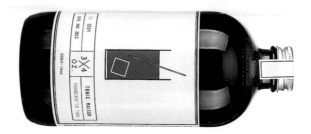

¾ oz tonic maison

24,95 $ (473 ml) 3/4 oz est la quantité de sirop dont vous aurez besoin pour préparer votre gin tonic. Il se démarque par son goût d'aromates, sa touche d'amertume plus prononcée et sa couleur ambrée. La quinine est extraite de l'écorce de Chicona. Juste assez amer, sucré et acide. Un goût raffiné.

Jack's Tonique Syrup

25,95 $ (500 ml) Fait à Gatineau, à la main à partir d'ingrédients naturels, ce sirop a la particularité d'être sucré avec du miel. Sont également ajoutés de l'écorce de quinquina (pour l'amertume), de l'eau de source, de la citronnelle fraîche, du jus de citron biologique et de la fleur de lavande.

Les charlatans sirop tonic concombre & estragon

14,95 $ (235 ml)

Élaboré à Montréal à partir d'ingrédients biologiques, c'est un tonic unique avec son mélange de quinine naturelle et de saveur fraîche de concombre, rehaussé par une touche d'estragon. Vous pouvez bien sûr l'apprécier dans un gin tonic, mais aussi dans de nombreux autres cocktails.

6 VERMOUTHS, APÉROS CHICS ET AUTRES

ALCOOLS *FUNKYS*

PAR
ÉLYSE
LAMBERT

Le vermouth a la cote chez les mixologues et fait un retour en force sur les tablettes de la SAQ. C'est LE produit tendance cette année, tout comme le gin et les liqueurs amères.

Plusieurs producteurs de vins et de cidres québécois se sont d'ailleurs lancés dans l'élaboration de ce produit. Voici quelques recommandations qui sauront vous gardez à la page et, nous l'espérons, vous inspireront pour la préparation de vos prochains cocktails.

Thuya, Dry gin

Nouveau-Brunswick, Canada

39,50 $

Code SAQ 12573519

J'ai découvert ce gin il y a de ça maintenant trois ans lors d'une visite au Nouveau-Brunswick. Les saveurs franches du produit m'avaient beaucoup plu, même si je trouvais la bouteille et l'étiquette assez quelconques. Le produit a fait son bout de chemin depuis; il a gagné des prix et est apparu sur les tablettes de la SAQ il y a quelques mois. Si vous êtes amateur de gin, c'est à ne pas manquer. Qui plus est, certaines plantes utilisées pour l'élaboration du produit sont québécoises.

Apérol, Liqueur apéritive

Davide Campari, Italie

21,45 $

Code SAQ 11639070

L'Apérol est une liqueur apéritive italienne qui a été commercialisée il y a tout près de 100 ans. Son succès, à l'époque, était dû au faible pourcentage en alcool du produit. Faisant partie de la famille des amers, cette liqueur est élaborée à base de gentiane, d'orange amère et de rhubarbe. Elle fait un retour en force grâce à l'« Apérol spritz ». Si vous cherchez un cocktail estival rafraichissant, c'est à ne pas manquer. Dans un verre de vin rempli de glace, mélanger 2 onces d'Apérol à 3 onces de mousseux. Ajoutez-y un trait de soda et une rondelle d'orange et le tour est joué. Le seul défaut de ce cocktail, c'est qu'il se boit trop bien. La mise en garde est faite !

Rouge Gorge, Vermouth de cidre

Domaine Lafrance, Québec, Canada

24,75 $

Code SAQ 12979092

Le domaine Lafrance, situé à Saint-Joseph-du-Lac, se spécialise depuis trois générations dans les produits de la pomme. Rouge Gorge est le premier vermouth à base de cidre produit au Québec. Cette particularité lui apporte son originalité et donnera une petite touche intéressante à votre prochain cocktail.

Romeo's, Dry gin

PUR Vodka, Québec, Canada

38,50 $

Code SAQ 12873984

Concombre, aneth, lavande et citron font partie des ingrédients entrant dans la composition de ce gin. Apparu sur nos tablettes il y a de ça un peu plus d'un an, c'est un gin fin, frais et d'une délicatesse qui nous donne envie de le boire nature ou avec un allongeur qui ne masquera pas ses saveurs. Produit élaboré par les créateurs de Pur Vodka, il se veut aussi une vitrine pour l'art urbain. Un pourcentage des profits est d'ailleurs versé à la promotion de ce dernier.

Vermouth Lab

**Val Caudalies,
Québec, Canada**

25 $

Code SAQ 12863014

Le dernier-né dans la famille des vermouths québécois est Lab de Val Caudalies. Producteur de vins des Cantons-de-l'Est, le domaine nous propose ce vermouth blanc à base du cépage vidal, auquel on a ajouté des herbes et des aromates. Son nom trouve son origine dans la collaboration avec le bar à cocktail Lab et la mixologue Gabrielle Panaccio. On peut apprécier ce vermouth simplement sur glace avec un zeste d'orange ou l'utiliser dans notre recette favorite contenant cet alcool.

Crème de cassis

**Monna et filles,
Québec, Canada**

25,25 $ (375 ml)

Code SAQ 10381661

Vous aimez revenir à certains cocktails classiques avec une petite touche aux saveurs locales, ce choix est pour vous. Le domaine Monna et filles est situé sur l'île d'Orléans. Bernard Monna, son fondateur, est natif du sud de la France et issu d'une famille de liquoristes. Le domaine élabore une crème de cassis qui nous donne l'impression de croquer dans le fruit et qui n'a absolument rien à envier aux autres produits de cette catégorie, bien au contraire! Cette liqueur est toute indiquée pour élaborer le kir ou le kir mousseux.

11 ALCOOLS CHICS pour NOËL

PAR
PATRICK
DÉSY

Comme pour le vin, les goûts évoluent et les modes passent. Je me rappelle avec une certaine nostalgie le temps où l'on débutait la soirée au eggnog–brandy et mon oncle Charlot terminait son repas avec une crème de menthe verte. Sans parler de mon grand-père avec sa bouteille de gros gin verte décorée de sa fameuse étiquette en forme de cœur blanc.

Aujourd'hui, on boit plus chic. On boit plus exotique.

Il faut dire que les mixologues, ces bar-mans nouveau genre, qui redéfinissent la conception du *drink*, y sont pour beaucoup. Prenez en exemple Romain Cavelier, auteur du livre *Un tour du monde en 75 cocktails*. Qui a été désigné meilleur mixologue au Canada en 2015. Je lui ai demandé de me dire quels sont les cinq alcools qu'il faut impérativement avoir dans son bar durant le temps des Fêtes. Voici sa sélection :

Amaro Montenegro

26,05 $
23 %
Code SAQ 10349071

Parce qu'un Amaro–limonade ça n'a pas de prix ! Sans compter que l'Amaro simplement sur glace vole aussi la vedette en plein été les pieds dans la piscine.

Chartreuse Verte

31 $
55 %
Code SAQ 37333

Parce que c'est sûrement le premier spiritueux que j'ai dégusté dans ma vie, si je n'en ai pas dans mon bar, j'hyper ventile !

Whisky Canadian Club 100 % Rye

26,25 $
40 %
Code SAQ 12592980

Pour boire seul ou en Manhattan les froides soirées d'hiver, mais surtout pour l'excellent rapport qualité-prix de ce rye.

Vermouth Guerra Reserva Rojo

21,95 $

15 %

Code SAQ 13038981

Pour la même raison que le rye, ça t'en prend dans un Manhattan ! Et parce que le Manhattan, c'est le meilleur drink au monde ! À cette liste, j'ajouterais une vodka et la traditionnelle bouteille de Baileys pour le café et le tour est joué !

Nº3 London, Dry Gin

50 $

46 %

Code SAQ 11675476

Même si j'ai un gros faible pour le Hendrick's, je vous avoue avoir eu un coup de cœur pour ce gin anglais distillé pour Berry Bros & Rudd, le plus ancien marchand de vins et de spiritueux du Royaume-Uni. Ses activités ont commencé en 1698 avec la création de la mythique boutique située au 3 St. James's Street à Londres.

Gin Cirka Sauvage

46,50 $
44 %
Code SAQ 13337631

Car c'est local et c'est bon en titi !

Bellevoye Triple Malt Whisky

69 $
40 %
Code SAQ 13061478

Un whisky réunissant trois malts français, distillés près de Lille, en Alsace, et à Cognac, élevés ensemble en Charente, dans des fûts de chêne français. Le résultat est étonnant et n'a certainement pas à rougir devant les fameux whiskys écossais.

El Pasador de Oro X.O. Rhum

69,25 $
40 %
Code SAQ 13062091

Pour avoir souvent voyagé en Amérique centrales, je suis fan fini de rhum. Celui-ci nous vient du Guatemala. Onctueux et finement épicé, il saura vous réchauffer cet hiver.

Glenmorangie, The Lasanta
Scotch Single Malt

83 $
43 %
Code SAQ 11573867

Affiné en fût de xérès, ce superbe scotch saura plaire aux amateurs de whisky fumé et épicé. Superbe finale qui enrobe le palais. Avec le cigare, en fin de soirée, on trouve difficilement mieux !

Hennessy V.S.O.P. Cognac

104 $
40 %
Code SAQ 11826289

En fait, on trouve peut-être mieux… Comme ce magnifique VSOP par l'une des plus belles maisons de Cognac. Et non, VSOP ne veut pas dire « verser sans oublier personne » ! C'est plutôt l'abréviation pour « Very Superior Old Pale » et désigne un assemblage de cognac d'au moins 4 ans et demi d'âge.

Ardbeg Uigeadail
Islay Scotch Single Malt

155,25 $
54,2 %
Code SAQ 11156318

Le scotch ultime pour un cadeau ultime ! C'est de loin mon producteur fétiche. Pour avoir dégusté pratiquement toutes les cuvées offertes à la SAQ, je suis d'avis que le « Uigeadail » est encore celui qui offre le plus grand plaisir. Attention, il faut aimer les whiskies de type salin et goudronné.

5 EXCELLENTES BIÈRES *SOUR*

PAR
ÉLYSE
LAMBERT

Les brasseries du Québec ont le vent dans les voiles et nous proposent des bières originales, différentes et qui font parler d'elles partout dans le monde. La catégorie des bières *sour* a vu son offre s'enrichir et est très à la mode en ce moment. Voici quelques suggestions qui, merci à mes coachs de bière, me permettent de mieux comprendre ce produit qui n'a jamais fini de me surprendre et qui je l'espère vous surprendra à votre tour.

Berliner Weisse

3 mousquetaires

Environ 3,30 $ + taxes et consigne

Bouteille de 341 ml

3,5 %

Cette brasserie de Brossard produit un des meilleurs exemples de ce style traditionnel de Berlin, une blanche faible en alcool et acidulée. Avec ses accents de mie de pain frais et de citron, c'est la bière de soif par excellence par une chaude journée d'été.

Solstice d'été aux framboises

Brasserie Dieu du Ciel !

Environ 11 $ + taxes et consigne

Caisse de 4 bouteilles de 341 ml

5,9 %

Disponible à chaque été, cette bière est un incontournable des bières sûres québécoises. Une grande quantité de framboises est ajoutée à chaque brassin, pour le plaisir de nos papilles. La magnifique robe rouge framboise annonce une bouche sèche, parfumée et acidulée à souhait.

Kriek Porter

Pit Caribou

Environ 14 $ + taxes et consigne

Bouteille de 750 ml

7 %

Une curiosité que cette bière, hybride entre une bière acidulée à la cerise et une bière noire de style Porter aux accents chocolatés. Le résultat évoque le gâteau forêt noire, le tout avec une acidité qui la rend étonnamment digeste. Originale, et très bien exécutée.

L'Ours – brassin spécial

Trou du diable

Environs 12 $ + taxes et consigne

Bouteille de 750 ml

6,5 %

Un assemblage d'une bière fraîche et d'une petite proportion de bière acidulée élevée en fût de chêne pendant un long moment. Ce qui permet de créer une bière présentant une bonne complexité, sans tomber dans un caractère oxydatif affirmée. Très belle introduction à l'univers des bières *sour* élevées en barriques.

Oro Zuur

Brasserie Dunham

Environ 14,60 $
+ taxes et consigne
Bouteille de 750 ml

5,5 %

Un assemblage de bières sûres élevées
en fût de chêne ayant au préalable contenu du vin. Les bières assemblées ont
passé entre 6 et 18 mois en barriques, et
l'assemblage final est houblonné à froid
avec des houblons aromatiques qui rappellent le pamplemousse et les fruits tro-
picaux. Complexe, élégante et unique!
Deux ou trois brassins par année sont
disponibles à la brasserie.

5 MICROBRASSERIES QUÉBÉCOISES DONT IL FAUT ABSOLUMENT GOÛTER LES BIÈRES

PAR
PATRICK
DÉSY

L'engouement des Québécois pour les bières artisanales ne se dément pas. Le nombre de microbrasseries a explosé depuis cinq ans. Selon les derniers chiffres, on en compterait aujourd'hui plus de 150. Il faut distinguer les brasseries industrielles de ce que l'on appelle les « brouepubs ». Ces derniers ont habituellement une production beaucoup plus limitée et leurs bières sont surtout distribuées localement, pour ne pas dire uniquement où elles sont brassées.

Les établissements « industriels », quant à eux, voient leurs bières distribuées à plus grande échelle sans pour autant dénaturer le produit. Suivant cette popularité grandissante, on retrouve les bières de « micro » dans de nombreux dépanneurs spécialisés, mais aussi en épiceries et dans les grandes surfaces qui ont tendance à leur donner une meilleure visibilité.

Après quelques échanges avec deux experts en la matière, David Lévesque Gendron et Martin Thibault, tous deux chroniqueurs au *Journal de Montréal* et au *Journal de Québec*, j'ai dressé pour vous la liste des cinq microbrasseries incontournables du Québec dont il faut absolument essayer les bières.

Dieu du Ciel !

29, av. Laurier Ouest, Montréal
259, rue de Villemure, St Jérôme
C'est sans doute la plus ancienne des nouvelles microbrasseries au Québec. Installée depuis 1998 sur l'avenue Laurier, sur le Plateau Mont-Royal, Dieu du Ciel ! offre des brassins considérés comme la « haute gastronomie » de la bière, mais à petits prix. Malgré leur taille relativement grande (la microbrasserie a déménagé la presque totalité de sa production à St-Jérôme), Dieu du Ciel ! demeure au sommet tout en parvenant à lancer de nouveaux produits intéressants sur une base régulière. C'est sans doute l'une des meilleures microbrasseries au Canada et ce, depuis ses débuts. Chapeau !

Pit Caribou

Microbrasserie : **27 rue de l'Anse, Anse-à-Beaufils**
Pub : **182, rte. 132, Percé**
Pub : **951, rue Rachel E., Montréal**
Née en 2007, la microbrasserie tire son nom du personnage des *Belles Histoires des Pays d'en haut* qui fabriquait son propre alcool… et qui en buvait aussi pas mal ! Située dans la ville de Percé en Gaspésie, un havre de pêche, elle se fait un devoir de brasser ses bières en misant sur les ressources de la région. Il en ressort une panoplie de créations uniques exécutées avec goût, offrant une gamme parmi les plus solides du Québec. Une valeur sûre sur toute la ligne. À noter, l'existence de deux pubs où l'on peut s'arrêter manger tout en dégustant les dernières créations.

Brasserie Auval Brewing co.

397, route des Pères, Val d'Espoir

Cofondateur de Pit Caribou, Benoit Couillard a choisi de revenir en 2015 à un mode de production plus en phase avec ce qu'il aime : brasser des bières artisanales à partir de produits locaux et… en petites quantités afin de pouvoir se consacrer complètement à sa passion. Ses IPA sont aussi excellentes que les meilleures de la Nouvelle-Angleterre et ses bières sèches d'inspiration belge respirent l'élégance. Auval produit en tout une quinzaine de bières différentes surtout distribuées sur le marché local (Gaspésie et Bas-Saint-Laurent). La frénésie autour de ses bières et les petites quantités disponibles font qu'il est assez difficile de mettre la main dessus ! On peut heureusement passer à la brasserie où une petite boutique adjacente offre durant l'été (ou plutôt jusqu'à épuisement des stocks) les brassins du moment.

Le Castor

67, ch. Des Vinaigriers, Rigaud

Le Castor, c'est la petite entreprise de Daniel Addey-Jibb et de Murray Elliott, deux charpentiers devenus brasseurs. C'est surtout l'une des grandes références dans le registre des IPA. La Yakima a ainsi obtenu le pointage parfait de 100 points sur le site spécialisé RateBeer en plus de remporter plusieurs hommages dans différents concours d'envergure. Production bio, ce qui n'a rien d'évident lorsqu'on cherche à s'approvisionner en houblon de qualité. Le Castor a longtemps été la référence en IPA, mais comme ce segment est envahi par beaucoup de nouveaux joueurs, la brasserie fait de nombreux efforts pour produire des bières vieillies en barriques et aux levures sauvages et ce, avec des résultats plus que probants.

Brasserie Dunham

3809, rue Principale, Dunham

Simon Gaudreault, Sébastien Gagnon et Éloi Deit sont derrière cette nouvelle brasserie déjà sacrée meilleure au Canada en 2016, selon le site spécialisé Ratebeer. Les bières se démarquent par leur créativité tout en restant faciles d'accès. On y retrouve plusieurs bières sauvages (*wild ales*), IPA, bières *sour* et, évidemment, des bières élevées dans une variété de fûts de chêne. Ne manquez pas non plus La Table Fermière qui jouxte la brasserie. On y trouve une cuisine du marché ainsi que toutes les bières du producteur.

Et cinq autres noms à surveiller :

Le Trou du Diable

Micro-brasserie : **1250, av. De la Station, Shawinigan**
Pub : **412, av. Willow, Shawinigan**
Super production pour cette microbrasserie de la Mauricie qui a vu le jour en 2010, à Shawinigan. On aurait très bien pu l'inclure dans notre Top 5.

Vox Populi

5524, rue Saint-Patrick, Montréal
Excellent producteur montréalais qui a envahi le marché de la petite canette en moins d'un an pour devenir une référence.

Vrooden

617, rue Simonds S., Granby
Arrivée de nulle part, cette brasserie des Cantons-de-l'Est offre une des plus belles gammes de produits allemands en dehors de l'Allemagne.

Ras L'Bock

250, rue du Quai, Saint-Jean-Port-Joli
Excellent «brouepub» du Bas-St-Laurent qui brasse avec talent des bières au style houblonné et qui propose des IPA à l'américaine de haut niveau.

Le Prospecteur

585, 3ᵉ av., Val-d'Or
Un autre «brouepub» à ne pas manquer si vous passez en Abitibi. Toute petite production avant-gardiste qui parvient à séduire un public local avec succès.

8 GROSSES QUILLES QUI COÛTENT CHER À METTRE **EN CAVE** sans passer pour un buveur d'étiquette...

PAR
PATRICK
DÉSY

Qu'on se le dise d'entrée de jeu : ce n'est pas parce qu'un vin est cher qu'il est nécessairement meilleur. Autrement dit, l'indice de prix n'est pas pour autant un indice de qualité. Cela dit, on ne peut pas nier que vous avez plus de chance de tomber sur une bonne bouteille à 40 $ ou à 50 $ que si vous payez 15 $ ou 20 $. Un vin plus cher s'explique habituellement par de meilleurs soins, mais aussi par l'incontournable loi de l'offre et de la demande. Bref, voici huit vins qui sont un peu plus chers que la moyenne de ceux qui se trouvent dans ce guide, tout en sachant qu'ici, vous n'achetez pas un nom pour faire de la frime devant votre beau-frère, mais bien parce que ce qui se trouvera dans votre verre vous fera triper !

Les Bruyères Chardonnay 2014

**Domaine André et Mireille
Tissot, Arbois, France**

57,75 $
★ ★ ★ ★ | $$$$ ½

13 % | 1,2 g/l
Code SAQ 12966718

Les Bruyères est une cuvée issue de chardonnay prenant pied sur des sols argileux. C'est un vin à la texture imposante, mais qui au contact de l'air développe une précision remarquable. Un nez axé sur la richesse : poire, trèfle, pomme jaune, noix de Grenoble. Au départ un peu sur ellemême, la bouche va aussi gagner en définition avec l'aération. Longue finale minérale. Du superbe millésime 2014, le vin montre un impressionnant potentiel de développement. Une quille qu'on a intérêt à oublier 3 à 5 ans en cave et qui pourra se développer une dizaine d'années sans tracas. À près de 50 $ la bouteille, ça peut paraître cher, mais en comparaison avec les grands chardonnays de Bourgogne avec lesquels ce vin peut se mesurer sans pâlir, c'est une aubaine ! Le 2015 devrait être tout aussi bon, quoiqu'avec un supplément de richesse.

Châteauneuf-du-Pape 2012

Domaine Pierre Usseglio et Fils, France

47,25 $

★★★★ | $$$$ ½

15 % | 3,9 g/l
Code SAQ 10257521

Issu de l'excellent millésime 2012, c'est le parfait candidat si vous souhaitez savoir si votre cœur bat pour le grenache qui compose 80 % du vin, le reste étant la syrah (10 %) le cinsault (5 %) et le mourvèdre (5 %). On trouve dans le verre un vin pourpre/violacé et visqueux. Plutôt immédiat au nez, le bouquet se développera au fur et à mesure du contact avec l'oxygène. Fruit mûr sans être surmûri. Tonalités aguichantes de réglisse noire, de prune, de fraise, d'herbes séchées, de lavande, de poivre avec un fond animal agréable. En bouche, le fruit est abondant, gourmand, laissant une impression d'onctuosité. Les tanins paraissent légèrement virils et marquent surtout la finale sans jamais laisser l'impression de surcharger l'ensemble. On devine aussi un côté capiteux affirmé, mais l'impression du fruit qui enrobe le palais permet de faire un excellent contrepoids. Un châteauneuf savoureux au style traditionnel qui, par son équilibre, se laisse approcher avec facilité dès aujourd'hui tout en présentant les atouts pour se bonifier une bonne dizaine d'années. Surveillez le 2013 qui devrait débarquer sous peu à la SAQ.

La Fresnaye 2013

Pithon-Paillé, Anjou, France

34,25 $
★★★⌀ | $$$ ½

13 % | 2 g/l
Code SAQ 10986942

Du chenin poussant sur un coteau bien exposé dont le sol est constitué de galets et de graviers, ce qui rend la chaleur aux raisins le soir venu, un peu comme à Châteauneuf-du-Pape. Il en ressort un vin arborant un jaune prononcé aux teintes vieil or. On sent un fruit mûr, mais trouvant un équilibre remarquable par son acidité tendue. Un vin qui fait saliver, une sève riche, ample et une longue finale saline. On devine des notes de fumée, de pamplemousse rose, de miel, de résine et de cire d'abeille. Un vin singulier, à la fois de soif et de puissance dont le profil étonnant fera malheur avec la gastronomie. Pas donné, mais la qualité et l'originalité sont plus qu'au rendez-vous. Capsule à vis pour éviter les désagréables et mauvaises surprises liées aux problèmes/goûts de bouchon. Pour la petite histoire, Jo et Isabelle Pithon ont créé cette propriété en 2008 avec Joseph Paillé, dont l'épouse est sommelière sud-africaine. On parle ici d'environ 7 hectares en propre et cultivés en bio.

Prado Enea 2007

Muga, Rioja, Espagne

54,50 $
★★★★ | $$$$ ½

14 % | 2,7 g/l
Code SAQ 11169670

La maison Muga fait partie des meilleurs producteurs de la Rioja. Cette cuvée Prado Enea est une sorte d'hommage aux vieux styles de vins de la région. Elle est issue de raisins très mûrs récoltés souvent en dernier par la propriété. Ceux-ci profitent d'abord d'un élevage de 12 mois en cuve de chêne de 16 000 litres, puis d'un minimum de trois ans en barrique de chêne suivi d'un autre trois ans minimums d'élevage en bouteille. Il en résulte un vin qu'on peut déjà approcher, bien qu'il puisse continuer à se bonifier dans votre cave. Nez splendide et aguicheur de tabac, de vieux rhum et de fruit noir. Bouche richement constituée, fraîche tout en montrant des tanins mi-corsés. Longue finale caressante. De toute beauté.

Clos de Cuminaille 2015

Pierre Gaillard, St-Joseph, France

40,75 $
★★★★ | $$$$

12,5 % | 2,3 g/l
Code SAQ 11231963

Une superbe syrah provenant de l'appellation St-Joseph, dans le Rhône septentrional. Pierre Gaillard est une figure de proue dans la région. Les fruits proviennent de vignes posées sur des coteaux granitiques d'un ancien domaine viticole datant de l'époque romaine. Ça donne un vin volumineux, immédiatement expressif avec de jolies notes de viande fumée, de fleur mauve et de poivre. Souple et tendre à la fois. Une syrah plus sensuelle qu'intellectuelle. Un charme certain auquel il est difficile de résister. Miam !

50th Anniversary
Maestro 2013

Robert Mondavi Winery, Napa, Californie, États-Unis

50 $
★ ★ ★ ★ | $$$$ ½

14,5 % | 2,4 g/l
Code SAQ 12950476

C'est en 1966 que le célèbre Robert Mondavi s'est lancé dans ce qui allait devenir l'un des domaines viticoles les plus célèbres au monde. Même si l'entreprise Mondavi est passée dans les mains de la multinationale Constellation Brands, on apporte les mêmes soins à la production des vins. Cette cuvée 50e anniversaire en hommage au Maestro est à l'image des meilleurs vins californiens. Un assemblage bordelais dominé par le merlot, complété par le cabernet franc, le cabernet sauvignon et le petit verdot. Un rouge juteux, caressant et soyeux montrant de l'élégance. Légèrement capiteux en finale, il se laisse boire avec gourmandise. Un des meilleurs californiens dégustés cette année.

Côte-Rôtie 2014

Domaine Jean-Michel Stephan, France

86,25 $
★★★★ | $$$$$

12 % | 1,4 g/l
Code SAQ 13133873

Jean-Michel Stephan est connu pour son approche dite « nature » du fait qu'aucun sulfite n'est ajouté durant la vinification. Un bouquet intense dominé par un registre d'abord très animal. On devine ensuite facilement le caractère variétal de la syrah avec ses tonalités très pures de violette et de poivre. La bouche est explosive, absolument délicieuse, fraîche, croquante tout en étant suave et élancée. Les sceptiques du nez seront immanquablement « confondus-du-du-du-du » par l'énergie et l'harmonie, mais surtout par la superbe longueur aromatique du vin. Du bonheur pur nature ! Attention : c'est un vin qui demande une certaine préparation au niveau des attentes. On peut facilement être « bloqué » par les arômes. Il y aussi une certaine variation « expressive » d'une bouteille à l'autre. Le faible taux de sulfite rend le vin fragile et sujet à certaines irrégularités. Un petit passage en carafe est fortement suggéré afin qu'il gagne en précision.

Vieilles Vignes 2014

**Domaine Buisson-Charles,
Meursault, France**

64,75 $
★★★★ | $$$$$

13 % | 1,3 g/l
Code SAQ 12078420

Patrick Essa et Catherine Buisson sont derrière le renouveau de ce vieux domaine familial de Meursault. Grand communicateur, Essa est aussi un vigneron méticuleux et passionné. La cuvée Vieilles Vignes provient des parcelles des village Pellans, Millerands, Meix Chavaux et Vireuils avec des vignes dont l'âge atteint les 90 ans. Fidèle au millésime, ce 2014 donne un vin à la fois concentré, volumineux tout en montrant une fraîcheur remarquable. Longue finale sur des notes fines de noisette, d'agrume et de poire avec, en plus, une impression saline. Étant donné les prix déments des premiers crus sur Meursault, Puligny-Montrachet ou Chassagne-Montrachet, vous avez ici un super rapport qualité-prix. Surveillez le 2015, bien que plus riche avec un fruit plus ample, c'est aussi concentré et élégant. Bref, un vin à ne pas manquer !

6 DÉFAUTS QU'ON RETROUVE LE PLUS SOUVENT DANS LE VIN

PAR
ÉLYSE
LAMBERT

Les défauts du vin sont souvent difficiles à identifier, plus particulièrement si vous dégustez un produit pour la première fois. Ce petit chapitre vous éclairera sur les défauts les plus fréquents, la façon de les identifier et la raison pour laquelle on retrouve certains de ces problèmes.

LE GOÛT DE BOUCHON

On a affaire ici au principal défaut que vous êtes susceptible de rencontrer. Une molécule chimique, le trichloroanisole (le TCA de son petit nom) est la principale raison pour laquelle votre vin sera bouchonné. Loin de moi l'idée de vouloir vous en parler trop en détail, mais cette molécule se retrouve essentiellement dans votre bouchon et confère à votre vin des arômes de vieille cave humide, de carton mouillé et de champignon. Si vous buvez du vin de façon régulière et que vous n'avez jamais gouté ce défaut, probablement ne l'avez-vous pas encore identifié, puisqu'il touche 5 % des vins fermés avec un bouchon de liège.

L'OXYDATION

Attention, ce défaut peut, pour certains vins, être une qualité… Nous voilà donc nageant en pleine zone grise. Je m'explique. Certains vins, comme les portos tawny, les madères et les xérès, passent de longs moments en fût de chêne, développant des notes de caramel et de noisette reliées à cet élevage prolongé. Ce n'est pas de ce type d'oxydation modérée auquel je me réfère, mais plutôt à des arômes rappelant le fruit comme la pomme poquée et où, en bouche, le vin a perdu son éclat. Ce problème est souvent relié à des conditions de garde non appropriées. Une température trop chaude ou encore la conservation dans un endroit sec où le bouchon perd son étanchéité peuvent être des facteurs reliés au problème d'oxydation.

LA RÉDUCTION

La bonne nouvelle avec ce défaut c'est qu'on peut corriger la situation. La réduction c'est l'inverse de l'oxydation. Ce processus normal peut être plus fréquent avec certains cépages comme la syrah, le gamay et le dolcetto par exemple. Le vin, particulièrement le vin jeune, aura des notes qui rappellent la teinture à cheveux. Si vous voulez vous débarrasser de la réduction, vous n'avez qu'à passer votre vin vigoureusement en carafe ; le problème devrait généralement se dissiper dans les minutes suivant cette manipulation.

LES BRETTANOMYCES

La présence de brettanomyces qu'on appelle dans notre jargon «brett» est un type de levures utilisées pour l'élaboration de certaines bières, mais qu'on retrouve aussi dans le vin. Si dans la bière, on voit les arômes de «brett» comme faisant partie d'un style, dans le vin, c'est une autre histoire. Cette levure apporte des notes animales, rappelant le cheval, la sueur, le fumier et pour certaines souches le pansement adhésif. Si dans certaines régions du Vieux Monde, le Rioja et le Bordelais par exemple, les amateurs aiment en retrouver en petite quantité, ces notes pouvant apporter de la complexité, les gens qui élaborent du vin dans le nouveau monde voit ce type de contamination comme un défaut. Ce type de levure présente dans le vignoble va avoir tendance à se développer dans des conditions diverses dans le moût (jus de raisin) ou l'environnement du chai de vinification.

L'ACIDITÉ VOLATILE

Si vous avez une touche de vinaigre ou de vernis à ongle lorsque vous plonger votre nez dans votre verre de vin, il s'agit ici d'un problème d'acidité volatile. Il peut parfois être causé par une mauvaise hygiène dans le chai de vinification ou par un départ lent de la fermentation alcoolique. On retrouve ce phénomène de façon plus régulière dans certains vins comme l'amarone della valpolicella ou le zinfandel, et, en petite quantité, peut être toléré, voire apprécié de certains amateurs.

LES SULFITES (SO$_2$)

Les fameux sulfites... On leur fait mauvaise presse, particulièrement chez les défenseurs des vins dits nature. Ils sont malheureusement nécessaires à la stabilité du produit lors de leur transport. S'ils sont utilisés à petites doses lors de la mise en bouteille, il y a de fortes chances que vous ne trouviez rien de particulier à votre vin autre que ce qui est attendu de ce dernier... et c'est ce qu'on souhaite. Par contre, l'utilisation excessive de sulfites lors de l'élaboration du vin donnera des notes rappelant l'allumette et peut amener chez certains consommateurs des maux de tête. Si vous achetez des vins sans sulfites ajoutés, sachez que vous pourriez avoir des problèmes d'oxydation puisque cet additif a aussi pour effet de ralentir le processus d'oxydation du vin.

5 VINS POUR UNE SOIRÉE DE FILLES

PAR
ÉLYSE
LAMBERT

Ça prenait bien une fille dans l'équipe des Méchants Raisins pour faire cette liste. Je me fais demander des suggestions par les amies autour, et sans vouloir donner de sexe à mes sélections de vin, je réalise que certains produits sont plus appréciés par les copines que par les copains. Alors voici... et si messieurs vous sentez que vous avez été mis de côté pour cette rubrique, je vous suggère la suivante « 5 vins à déboucher dans sa cache à la chasse » que j'ai élaborée spécialement pour mon beau-frère.

Les Mariés 2015

Domaine de la Baume, Pays D'Oc, France

17 $
★★★ | $$

13,5 % | 1,2 g/l
Code SAQ 477778

Vous avez envie d'un vin aromatique et frais, voici ma suggestion. Ce vin à base de sauvignon blanc est élaboré par le domaine La Baume, situé dans le cœur du Languedoc. Cette propriété de 176 hectares travaille le sauvignon avec une touche de soleil, terroir oblige, mais qui reste bien équilibré et typique du cépage. Le vin offre des notes de pomme jaune, de melon miel et une petite pointe d'herbes fraîches. Lors d'un 5 à 7, avec un ceviche ou un gravlax de truite à l'aneth, ce sera un compagnon de choix.

Max Reserva 2016

Errazuriz, Chili

15,55 $
★★ | $ ½

13,5 % | 2,1 g/l
Code SAQ 902916

Produit au répertoire général de la SAQ, donc facile à trouver, et à prix raisonnable, sa qualité nous a très agréablement surpris. Si votre soirée de filles consiste à mettre quelques petits trucs à grignoter sur la table, du saumon fumé ou, plus simple encore, du popcorn, vous aurez un vif succès avec ce vin qui saura se marier aux notes fumées et beurrées. Ce chardonnay offre des notes de noisette, complétées par une pointe de citron et de pêche. Le vin a de la texture et est équilibré, c'est bien fait et plus qu'honnête.

Casal Garcia Rosé 2016

Aveleda, Vinho Verde, Portugal

11,55 $
★ ⌐ | $

9,5 % | 15 g/l
Code SAQ 12840808

Vous avez opté pour une rencontre d'après-midi et voulez voir la vie en rose, voici un incontournable. Ce vin est issu de la région des vinho verde, appellation importante du nord du Portugal. On connait celle-ci surtout pour ses vins blancs, mais on y élabore aussi du rosé et du rouge. Vous allez craquer pour ce rosé fruité, facile et légèrement effervescent. Son pourcentage d'alcool à 9,5 % est super raisonnable et sa pointe de sucre en font un vin charmeur, facile à boire et sans prétention. Accompagné d'un bol de fraises fraîches, vous ferez sensation.

Les Griottes 2015

**Domaine du Vissoux,
Beaujolais, France**

19,85 $
★★⌐ | $$

13 % | 1,9 g/l
Code SAQ 11259940

Cette région de la France située à quelques kilomètres au nord de la ville de Lyon est reconnue pour le gamay, cépage facile et fruité qui se boit sans soif. Le style des vins du Beaujolais est néanmoins en train de changer avec une offre très intéressante de produits issus de petits producteurs soucieux d'offrir des vins qui ont de la personnalité. La cuvée Les Griottes de Pierre-Marie Chermette est tout en fruit, gourmande. Les tanins sont patinés et la bouche est fraîche. Si vous désirez commencer une rencontre avec du rouge, ce sera un allié parfait.

Les Allées du domaine 2014

Chablis, Domaine D'Henri, France

27,65 $
★ ★ ★ | $$$

Code SAQ 13074762
12,5 % | Moins de 1,2 g/l

Voici ma recommandation si vous avez une soirée de filles avec quelques poules de luxe bien assumées. Je fais partie de celles-là et je ne m'en cache pas, voici donc ce que j'apporte généralement à boire. Chablis est une de mes régions coup de cœur en plus de faire l'unanimité dans mon entourage. Le domaine d'Henri, en hommage à son père, est le nouveau projet de Michel Laroche à Chablis. Ce vin à base de chardonnay est ultra frais, tendu et minéral, parfait pour l'apéro qui se prolonge ou les longues discussions animées. Il gardera la bouche bien tonique. Si vous avez quelques huîtres, ce sera encore mieux, mais d'une façon ou d'une autre, ça se laisse boire.

9 TRÈS BONS VINS À ACHETER CHEZ COSTCO ET DANS LES ÉPICERIES

PAR
MATHIEU
TURBIDE

La distribution du vin au Québec est l'une des plus étranges au monde. D'un côté, un monopole qui distribue les vins importés en bouteille. De l'autre, des épiceries et des dépanneurs qui ne peuvent vendre que des vins élaborés ici ou importés en vrac et embouteillés au Québec. Tenter d'expliquer ce système risque de rendre fou.

Le Clou de Basile

**Vins Harmonie,
François
Chartier, Italie**

17,99 $ + taxes
★★⌐I $$

14 % | n.d. g/l

Notre préféré des trois rouges Chartier en épicerie. C'est un rouge italien, de la région de Maremma, en Toscane, à dominante de sangiovese (accompagné d'un peu de merlot et de cabernet). C'est un rouge sérieux avec un fruité invitant rappelant la fraise, des tanins mûrs, une finale épicée. On a beaucoup aimé.

Beaux-Arts Bons Vins

Cette compagnie importe des vins d'Europe, dans de petits contenants *bag-in-box* de 1000 litres, qu'elle commercialise au Québec sous des étiquettes dessinées par le designer québécois Jean-Claude Poitras. L'an dernier, nous avions aimé le rosé Colette, de style provençal, qui nous semblait l'un des meilleurs rosés disponibles en épicerie.

Cette année, Beaux Arts Bons Vins proposera chez **IGA** et **Métro** (de même que dans des **épiceries fines**) une gamme de vins certifiés biologiques, aux environs de 15 $, plus taxes.

La Bonita 2016

Chardonnay, Castilla de la Mancha, Beaux-Arts Bons Vins, Espagne

15,89 $ + taxes

★⌐| $ ½

13 % | n.d. g/l

Un chardonnay mûr, aux parfums un peu sur la retenue, mais qui s'exprime bien en bouche, avec des saveurs de poire et de beurre frais et une touche d'érable. Un bel équilibre sucre/acidité/fruit. Biologique.

La Belle Gitane 2016

Tempranillo, Castilla de la Mancha, Beaux-Arts Bons Vins, Espagne

14,99 $ + taxes

★★ | $ ½

12,5 % | n.d. g/l

Un rouge espagnol bien fait, aux accents de prunes avec une touche de caramel. Chaleureux et épicé en bouche. Biologique.

Les Jours Heureux 2015

Montepulciano d'Abruzzo, Beaux-Arts Bons Vins, Italie

19,89 $ + taxes

★★ | $$

13 % | n.d. g/l

Un rouge italien mûr et généreux, aux accents de fraises cuites et de fines herbes. Belle présence en bouche. Cher, mais très bon. Biologique.

5

BONS VINS
QUÉBÉCOIS
PAS CHERS
et vendus à la **SAQ**
POUR CÉLÉBRER
la **SAINT-JEAN**

PAR
PATRICK
DÉSY

« Je suis persuadé que les vignerons du Québec vont garder le cap et continuer à progresser. » C'est ce que j'écrivais il y a environ cinq ans à propos des vins québécois tout en soulignant que la détermination et le savoir-faire ne suffiraient pas à vendre les vins d'ici aux gens d'ici. Il faut aussi qu'on ait envie de les boire !

De manière générale, on peut dire que le paysage s'est beaucoup transformé depuis. Non seulement le nombre de producteurs s'est multiplié, mais la qualité a aussi progressé de manière significative. Les blancs secs sont généralement supérieurs aux rouges. Certains rosés ne sont pas mal non plus. Leur présence en points de vente s'est également accrue. On en trouve aujourd'hui un peu plus d'une centaine sur les tablettes de la SAQ, sans compter l'offre en épicerie. Cela dit, je continue de penser que les meilleurs vins sont malheureusement disponibles qu'au domaine. C'est le cas des cuvées du Vignoble Les Pervenches, du Vignoble Pinard et Filles ou, encore, de ceux du Vignoble du Ruisseau pour ne nommer que ceux-là.

Qu'à cela ne tienne, on trouve plusieurs trucs intéressants à la SAQ. Voici cinq suggestions qui devraient vous donner envie de boire les vins de notre Belle Province.

Versant Blanc 2015

Ferme C.M.J.I. Robert, Coteau Rougemont, Montérégie, Québec

14,30 $
★★↗ | $ ½

13,5 % | 1,8 g/l
Code SAQ 11957051

Soulignons une qualité plutôt constante pour la famille Robert, un important producteur de Montérégie qui compte environ 50 000 plants de vigne. Élaboré à partir des cépages frontenac gris et frontenac blanc, le 2015 est aussi bon, voire meilleur que l'an dernier. Un nez bien parfumé, nuancé avec des notes d'agrume, de tire éponge, de poire en sirop et de tilleul. Bonne présence en bouche, bien sec, avec une matière généreuse, de la fraîcheur et une persistance agréable. Servir bien frais avec les asperges du Québec!

Équinox 2015

Vignoble de la Bauge, Cantons-de-l'Est, Québec

14,55 $
★★ | $ ½

12 % | 5,8 g/l
Code SAQ 13107157

Une belle surprise que ce domaine dont je commence à découvrir les vins. Un assemblage intéressant dominé par le frontenac et le vidal auxquels on ajoute un peu de seyval. Il en ressort un blanc montrant un nez intensité moyenne avec des tonalités d'amande, de pamplemousse et de fleur. Un fruit tendre en bouche qui s'explique par les près de 6 g de sucre, mais le vin possède suffisamment d'acidité pour garder le tout en équilibre. Simple et efficace, surtout avec un doré poêlé au beurre et du citron.

Cuvée Charlotte 2016

Domaine Les Brome, Canton-de-l'Est, Québec

15,95 $

★★✈ | $ ½

13 % | 1,2 g/l

Code SAQ 11106661

Les vins de Léon Courville font partie des premiers à s'être trouvés sur les tablettes de la SAQ. Disposant de bons moyens, le domaine n'a cessé de progresser et propose des vins de qualité constante. Je suis moins emballé par les cuvées élevées sous bois, mais je suis toujours satisfait avec celles qui font de l'inox. Comme cet assemblage de seyval et de geisenheim donnant un blanc aux parfums nets d'agrume, d'herbes fraîches et de fleur. La bouche suit, fraîche, d'ampleur moyenne avec une finale rappelant le zeste d'orange. Parfait avec le homard et autres fruits de mer.

Pinot gris 2016

Domaine St-Jacques, Montérégie, Québec

21,35 $

★★★ | $$

13 % | 2,8 g/l

Code SAQ 12981301

Ancien ingénieur civil de formation et bouillant défenseur du terroir québécois, Yvan Quirion et sa femme Nicole Du Temple ont pris le pari de planter des cépages vinifera (ou cépages nobles), notamment du pinot gris, dans leur patelin de St-Jacques-le-Mineur. Le résultat aujourd'hui est plus qu'enviable avec une version 2016 réussie. On devine un nez offrant une belle pureté d'arômes : poire, pêche et épices douces. Bon volume en bouche, acidité délicate, impression saline et finale assez soutenue. Que du plaisir ! Pensez ceviche de poisson.

Rosé Gabrielle 2016

Vignoble Rivière du Chêne, Québec

14,70 $
★★⌐ | $ ½

12,5 % | 3,1 g/l
Code SAQ 10817090

Un assemblage réunissant seyval noir,
sabrevois, frontenac gris et sainte-
croix pour ce joli rosé élaboré à St-
Eustache, dans la couronne nord-ouest
de Montréal. Le 2016 est fort bon. On devine des notes de fruit rouge, d'herbe et
de barbe à papa/jujube. La bouche est juteuse tout en profitant d'une bonne acidité, ce qui apporte de l'énergie à l'ensemble qui, malgré ses 3 g/l de sucre,
paraît bien sec.

ON A GOÛTÉ AUX
8 VINS à moins de
8$ ET VOICI CE QU'ON EN PENSE

PAR
**MATHIEU
TURBIDE**

Depuis un an, la SAQ a fait des efforts pour baisser le prix de plusieurs de ses vins et pour garnir ses tablettes de choix de vins à très petits prix. Résultat : il y a maintenant plusieurs choix de vins à moins de 8 $ la bouteille, ce qu'on n'avait pas vu depuis des lustres. Mais est-ce nécessairement une bonne nouvelle ? Pas vraiment.

Deux vins moldaves installés à l'entrée de plusieurs succursales de la SAQ, dans des caisses ouvertes empilées avec une affiche montrant le prix — étonnant — de 6,15 $, ont causé toute une commotion l'an dernier.

Les bouteilles se sont envolées à une vitesse folle, prouvant encore une fois que quand c'est pas cher — ou «gratise» — les consommateurs se ruent souvent sans réfléchir, certains de faire l'affaire du siècle. Pourtant, dépenser 6 $ pour un mauvais vin, ça nous semble une moins bonne affaire que d'en dépenser 10 $ pour un qui en vaut la peine.

Cabernet Sauvignon, Crama Regala

**Vinaria din Vale,
Moldavie**

6,15 $
Aucune étoile | $

12,5 % | 2 g/l
Code SAQ 13181971

Un rouge qui ne sent rien, qui ne goûte rien. Mince comme un mannequin anorexique, plat comme les plaines de la Saskatchewan. Même l'étiquette est moche à mourir. Si vous voulez, on va vous prêter 2 $ et vous aider à trouver mieux.

Sauvignon blanc Crama Regala

**Vinaria din Vale,
Moldavie**

6,15 $
Aucune étoile | $

11,5 % | 2,5 g/l
Code SAQ 13182018

Le blanc est un tantinet moins pire que le rouge. Le nez montre quelques arômes de sauvignon blanc, mais en bouche, ça se gâte. C'est mince, aqueux (les Moldaves auraient-ils mis de l'eau dans leur vin?) et franchement pas intéressant.

Nobella Monastrell 2015

**Constellation
Brands, Yecla,
Espagne**

8 $
Aucune étoile | $

13,5 % | 2,6 g/l
Code SAQ 12989936

Un rouge correct, mais sans aucune personnalité, avec un brin d'amertume dérangeant. Rustique. Meilleur que le blanc, mais on trouve mieux pour quelques 10 cents de plus.

Los Molinos

Tempranillo, Espagne

7,65 $

↗ | $

13,5 % | 4,2 g/l
Code SAQ 00548875

Ce petit rouge espagnol roule sa bosse depuis plusieurs années sur les tablettes de la SAQ. Avec les baisses de prix des derniers mois, il est passé sous la barre des 8 $. Ce n'est pas un mauvais vin. Du fruit, une belle rondeur, sans complexité mais sans défaut. Cela dit, pour moins de 2 $ de plus, vous trouverez de bien meilleurs choix en provenance d'Espagne ou du Portugal.

Colheita 2015

Somontes, Vinho regional, Portugal

7,80 $

★ ↗ | $

13,5 % | 2,2 g/l
Code SAQ 12699314

Le Portugal, avec l'Espagne, est le champion des vins à petits prix. Nous nous attendions à pire pour ce vin à moins de 8 $, mais ça reste un vin correct, pas spécialement intéressant, mais quand même bien fait avec des arômes de cerise et de prune. Du fruit et de la présence en bouche avec une finale un peu fuyante.

Nobella Viura 2016

Constellation Brands, Vino de Mesa, Espagne

8 $
Aucune étoile | $

11,5 % | 6,2 g/l
Code SAQ 12698311

Ce blanc espagnol produit par la multinationale Constellation Brands, reine des vins d'épicerie au Québec, n'offre pas grand-chose de plus qu'un vin… d'épicerie. Même qu'on en trouve des meilleurs au supermarché. Nez inexistant, bouche légère mais sucrée. Pas épatant. Seul point positif : le prix, mais pas de taille devant le Bottero blanc.

Bottero di Cello blanc

Botter Carlo, Vénétie, Italie

9,80 $/1 litre
(7,30 $/750 ml)
★★ | $

11,5 % | 3,4 g/l
Code SAQ 430462

Nous sommes subjugués par la qualité constante des vins Bottero Di Cello. En rouge comme en blanc, ils sont vendus en format d'un litre, ce qui en fait l'un des meilleurs rapports qualité/prix/volume. Le blanc repose sur un assemblage de chardonnay et de garganega. C'est simple, frais, bien sec, avec une faible acidité et une belle finale parfumée.

Bottero di Cello rouge

Botter Carlo, Vénétie, Italie

9,80 $/1 litre (7,30 $/750 ml)
★★ | $

11,5 % | 4,4 g/l
Code SAQ 409888

La palme du meilleur rapport qualité-prix à moins de 8 $ revient sans conteste au magnum de Bottero rouge. À 13,15 $ pour l'équivalent de deux bouteilles (donc 6,58 $ pour 750 ml), c'est imbattable. Pas étonnant que ce soit le vin maison de tant de restaurants italiens du Québec. Évidemment, le vin est léger, mais il est bien fait, sec, coulant, avec ce qu'il faut de fruit, un peu de notes épicées, une belle acidité qui lui permet d'accompagner les plats de tous les jours (lasagnes, pâté chinois, poulet grillé).

6 VINS POUR MIEUX COMPRENDRE L'EXPRESSION

« UN VIN FRUITÉ »

PAR
PATRICK
DÉSY

S'il y a une chose qui me frappe quand vient le temps de conseiller les lecteurs sur le choix d'un vin, c'est de constater les différences d'interprétations qu'il peut y avoir d'une personne à l'autre à l'égard des termes propres au monde du vin. Autrement dit, les mots n'ont pas le même sens pour tous. Et c'est justement là que réside l'une des grandes difficultés quand vient le temps de vous expliquer le vin.

Le meilleur exemple est sans doute l'expression que tout le monde connaît : un vin « fruité ». Pour plusieurs, il est question d'un vin plus rond, plus souple, moins tannique, mais surtout, un vin sucré. Or, si on consulte les manuels de dégustation, on se rend compte que ce n'est pas du tout ça.

Le *Dictionnaire de la langue du vin* de Martine Cloutier, aux Éditions CNRS — un petit bijou à avoir dans sa bibliothèque —, décrit un vin « fruité » tout simplement comme un vin qui « exhale des arômes rappelant ceux du raisin ou d'autres fruits frais ». On peut aussi pousser le concept et parler du « caractère fruité » du vin qui pourra être « croquant, discret, distingué, éclatant, intense, exubérant, mûr, opulent, persistant, savoureux, séduisant » et j'ajouterais même sexy ! La plupart du temps, ce sont des vins qui sont complètement secs, bien que certains vins sucrés, comme les portos ou les vins doux naturels, peuvent être fruités. Voici six vins qui vous aideront à mieux saisir le concept de vin « fruité ».

Le Vin est une Fête 2015

**Elian Da Ros,
Côtes du
Marmandais,
France**

22,10 $
★★★ | $$ ½

12,5 % | 1,4 g/l
Code SAQ 11793211

Le nom du vin annonce bien ce qui se retrouve dans votre verre : une fête de parfums et de saveurs ! Dominé par le merlot et complété par le cabernet franc et l'abouriou — cépage local de cette appellation située au sud-est de Bordeaux —, ce 2015 est une belle réussite. Prenez soin de l'aérer de 45 à 60 minutes avant de le servir, vous verrez, le caractère fruité (griotte et cerise) va exploser !

Le Combal 2014

**Cosse
Maisonneuve,
Cahors, France**

19,65 $
★★★ | $$

13 % | 1,4 g/l
Code SAQ 10675001

Catherine Maisonneuve et Mathieu Cosse font partie des meilleurs vignerons du Sud-Ouest. Leurs vins provenant du Cahors se distinguent par une énergie, un éclat fruité et une digestibilité que l'on retrouve peu chez d'autres vins de la région, mais qui ne renient en rien leur caractère et leur origine. Revenu sous les 20 $, la version 2014 de la cuvée Le Combal est largement distribuée dans les SAQ. C'est un vin gourmand, velouté, riche et charnu en tanins tout en étant doté d'une acidité basse, quoique surprenante. Passez-le en carafe de 20 à 30 minutes, vous aurez droit à un joli nez bien expressif de fraise, de rhubarbe, de poivre, de violette et de kirsch. Production bio. Parfait avec le magret de canard sur le grill.

Château la Tour de L'Évêque 2013

Côtes de Provence, France

23,40 $
★★★ | $$ ½

13,5 % | 1,9 g/l
Code SAQ 440123

Régine Sumeire se passe pratiquement de présentation tellement ses vins sont populaires au Québec, pensez notamment à son rosé Pétale de Rose qui est non seulement le vin de Provence le plus ancien à la SAQ, mais aussi l'un des meilleurs rosés à chaque année. Cultivés en bio, les syrah (84 %) et cabernet sauvignon (16 %) donnent un rouge bien sec au fruité élégant et à la texture souple. Tonalités de cassis, de mûre et d'olive. Top !

Red blend 2014

Adi Badenhorst/ Secateurs, Swartland, Afrique du Sud

19,65 $
★★★ | $$

14,5 % | 2,3 g/l
Code SAQ 12132633

On pourrait aussi parler ici d'un vin chaleureux, c'est-à-dire, pour reprendre la définition du *Dico* de Martine Cloutier, «un vin dont la richesse alcoolique sans excès souligne l'expressivité aromatique et gustative». Autrement dit, même si le vin affiche 14–15 % d'alcool au compteur, on ne sent rien qui brûle. Ça passe comme dans du beurre. Tout ça grâce au fruité qui permet de bien enrober l'alcool et de laisser une agréable fraîcheur en finale.

Le Bois Jacou
Gamay 2015

Domaine des Bois Vaudons / Jean-François Mérieau, Touraine, France

20,30 $
★★★ | $$

12 % | 1,8 g/l
Code SAQ 12572858

On ne peut pas se tromper ici : on a définitivement affaire à un vin fruité! On pourrait aussi ajouter la notion de «désaltérant», c'est-à-dire, comme l'enseigne le *Dico* de Martine Cloutier, «un vin dont la fraîcheur de goût étanche la soif». Un vin rafraîchissant, qui se boit tout seul, du glouglou, du petit-lait! Le genre de bouteille qu'on siffle à deux en moins de 22 minutes, 45 secondes, 14 dixièmes. Un gamay qui profite des largesses de 2015. Des notes florales et de fruits rouges. C'est gouleyant, tendre et aérien. Servir assez frais.

Les Vieilles Vignes de Sainte-Claire 2015

Jean-Marc Brocard, Chablis, France

29,95 $

★★★⌐ I $$$

12,5 % I 1,2 g/l

Code SAQ 11589658

Un vin blanc au fruité très pur, pour ne pas dire minéral, le chardonnay s'effaçant presque devant l'expression du terroir chablisien. L'année 2015 a cependant donné des vins concentrés avec un fruité plus opulent que dans des millésimes classiques. Il en résulte un ncz débordant de fruit blanc (poire, pêche) avec un arrière-plan finement crayeux. C'est ample, tendre, tout en montrant une acidité fine et énergique. Qualité du niveau d'un premier cru, mais avec le prix d'un bon village. Culture bio.

5 VINS À DÉBOUCHER DANS SA **CACHE**, à la **CHASSE**

PAR
ÉLYSE
LAMBERT

Cette rubrique s'adresse à mon beau-frère, chasseur et amoureux de la nature de longue date. Je suis allée observer des chevreuils dans la cache du beau-frère et force est de constater qu'il y fait froid et humide. Voici, dans ce contexte, le genre de vin que je suggère. Au fait, je sais que la bière est aussi un produit de choix pour la cache. Vous avez plusieurs suggestions de bonne «mousse» dans une section de notre guide dédiée aux produits houblonnés.

Nature 2015

**Perrin, Côtes du
Rhône, France**

20 $
★★⌐⎺⎼I $$

14 % | 1,8 g/l
Code SAQ 918821

Petit clin d'œil à la nature, qui vous entoure lorsque vous êtes dans votre cache mais, qui se trouve aussi au cœur de l'approche de la famille Perrin pour le travail du vin. Cette famille possède le plus grand vignoble biologique de la vallée du Rhône. C'est un des premiers domaines d'importance à s'être tourné vers ce type d'agriculture il y a plus de 40 ans. Sa cuvée nature est en dominance de grenache complétée par une petite touche de syrah. C'est un vin qui se boit superbement bien grâce à une bouche fruité et des tanins bien arrondis. Par temps un peu plus frais, ce vin saura vous tenir au chaud.

Cuvée Tradition 2016

**Clos Bagatelle,
St-Chinian, France**

12,55 $
★★ I $ ½

13,5 % | 1,7 g/l
Code SAQ 12824998

Si vous songez déjà à ce que vous allez boire avec votre steak de chevreuil, voici une suggestion à petits prix qui vous permettra de faire un gros party. Ce St-Chinian est un assemblage de syrah, de grenache, de carignan et de mourvèdre. Ses notes de fruits noirs et sa pointe animale, complétées par une touche de garrigue et de thym, en feront le compagnon idéal d'une viande saignante aux notes de sapinage, classique de ce type de gibier. Il sera aussi parfait pour le chasseur amoureux de vins un peu plus structurés.

Vieilles vignes Terra Recognita 2014

Château Recougne, Bordeaux supérieur, France

19,50 $
★★★ | $$

14 % | 2,6 g/l
Code SAQ 12716276

Petite demande spéciale de mon beau-frère qui aime bien les vins de Bordeaux… Français oblige, je lui propose de découvrir un vin qui m'a bien plu dans une catégorie où ce n'est pas toujours facile de trouver de la qualité à prix raisonnable. Sa dominance de merlot fait que ce bordeaux même en jeunesse reste très approchable. Le vin attaque sur des notes de fruit rouge, de cassis et de graphite. Les tanins sont mûrs et soyeux, le vin équilibré. Tout y est, c'est bien fait. On se régalera dans la cache, mais aussi avec un gibier braisé et quelques légumes d'automne.

Toscana 2013

Monte Antico, Italie

16,25 $
★★ | $ ½

12,5 % | 6,5 g/l
Code SAQ 907519

Si vous avez envie de faire un clin d'œil à l'automne, voici ma suggestion qui vous en donnera les parfums. De la région de la Toscane, le Monte Antico est une dominance de sangiovese, complété par un peu de cabernet sauvignon et de merlot. Le vin attaque sur des notes de moka, de fraise écrasée et de sous-bois. Sa petite pointe de vanille lui donne du charme et fait place à des tanins présents mais sans dureté. La bouche est facile et l'acidité garde la bouche fraîche. Le vin se laisse boire et sera parfait pour la cache.

Corcelette 2015

Domaine Lathuilière-Gravallon, Morgon, France

21,25 $
★★⌁ | $$

13 % | 2 g/l
Code SAQ 12133994

Ce domaine familial travaille sur une quinzaine d'hectares dans le Beaujolais et produit plus de la moitié de ses vins en appellation morgon. Ce village du Beaujolais, qui fait partie des 10 crus de la région, se démarque avec des gamays généralement plus structurés. Ce vin a fait l'unanimité autour de notre table, offrant fruité, équilibre et fraîcheur. Il a de la personnalité et saura vous faire voir le beaujolais à son meilleur. Un morceau de saucisson accompagnera avec brio, ce très beau morgon.

5

VINS POUR FAIRE **HONNEUR** À VOTRE

NOUVELLE *BATCH* DE SAUCE TOMATE

PAR
ÉLYSE
LAMBERT

Pour une raison ou une autre, le besoin de faire ma sauce tomate se fait sentir lorsque l'automne frappe à la porte... Certains de mes ancêtres paternels étaient Italiens, ceci expliquant peut-être cela. Voici donc mes recommandations (très italiennes !) pour accompagner la nouvelle cuvée de sauce tomate. Ne vous surprenez pas si vous y retrouvez du sangiovese, ce cépage de par sa structure est un compagnon naturel à la tomate. Et au fait, après quelques recherches à propos de ce fruit, savez-vous quel pays est le plus gros producteur mondial de tomate ? L'Espagne !

Chianti 2015

Barone Ricasoli, Italie

15,55 $
★★ | $ ½

13 % | 2,3 g/l
Code SAQ 13188858

Ricasoli fait partie des domaines historiques d'importance de la région. Les premiers écrits datent de 1141 et c'est aujourd'hui Francesco Ricasoli qui est à la tête du domaine de 235 hectares. Cette cuvée, élaborée spécialement pour le marché du Québec, est en dominance de sangiovese complété par une touche de canaiolo, un cépage classique de la région. Le vin est non boisé, aux notes de noyau de cerise, de terre et de cuir. Les tanins légèrement crayeux font place à une bouche facile d'approche. C'est un vin parfait pour se familiariser avec ce cépage, à petit prix.

Berardenga 2013

Fattoria di Fèlsina, Chianti Classico Riserva, Italie

30,25 $
★★★ | $$$

14 % | 2 g/l
Code SAQ 12724508

Ce domaine de 90 hectares est en culture biologique depuis 2015 et élabore des vins de facture classique. Le vin attaque sur une note de cerise et de prune avec une petite pointe de réglisse et de garrigue. Un rouge qui possède, à la fois, de la structure et de la fraîcheur. La Fattoria di Fèlsina élabore aussi de délicieuses huiles d'olive… à ne pas manquer si vous visitez la région. Si vous avez envie d'une pizza margarita accompagnée de quelques olives noires, ce sera un accord de choix.

Marchesi Antinori 2013

Tenuta Tignanello, Chianti Classico Riserva, Italie

40 $
★★★★ | $$$$

14 % | 2,3 g/l
Code SAQ 11421281

Si vous prévoyez des vacances en Toscane, je vous suggère de passer visiter le prestigieux domaine Antinori nel Chianti. Ils ont aussi un restaurant qui vaut le détour avec des charcuteries locales à ne pas manquer. En attendant le départ, ne passez pas à côté du Marchesi Antinori. Les raisins sont issus de la fameuse tenuta Tignanello. C'est du grand chianti, fin, précis et racé. Avec quelques polpettes servies dans votre nouvelle batch de sauce, vous allez en redemander.

Rosso 2014

Alberto Graci, Etna, Italie

27,15 $
★★★ | $$$

13 % | 2,6 g/l
Code SAQ 13041830

Voici ma dernière appellation chouchou. Etna c'est le nom d'un volcan, mais aussi celui d'une appellation où le nerello mascalese excelle. Ce cépage ressemble à la fois au pinot noir pour son fruit et au nebbiolo pour sa structure. Graci est un domaine familial qui a été repris en 2004 par le fils Alberto et sa femme. Ils y élaborent ce vin qui est tout en fruit, et sans aucun maquillage puisque non boisé, avec une petite pointe fumée typique de l'appellation. Je vous le recommande avec un gnocchi sauce tomate et champignons sauvages. Un accord parfait !

Verduno Pelaverga 2015

Fratelli Alessandria, Italie

28,05 $
★★★ | $$$

14 % | 1,2 g/l
Code SAQ 11863021

Si vous aimez le pinot noir ou le nebbiolo, vous aimerez ce vin. C'est dans le Piémont que je vous amène avec ce vin élaboré par les frères Allessandria à partir d'un cépage peu connu, le pelaverga. Avec une poignée d'autres producteurs, ils bichonnent ce cépage avec succès. Ce vin est sans élevage en fût, ce qui permet de conserver un fruité sans artifices. Les notes de fraise écrasée et la petite pointe florale nous charment déjà au nez et laissent place à une bouche aux tanins arrondis et à cette acidité que l'on reconnait souvent aux vins italiens. C'est très bon! Si vous avez envie de sortir de vos repères habituels, vous ne le regretterez pas.

5 VINS POUR DÉCOUVRIR LE MONDE FASCINANT DU XÉRÈS

PAR
PATRICK
DÉSY

Oubliez le jerez (en espagnol) ou le sherry (en anglais) pour faire la cuisine ou ce qui se buvait du temps de vos grands-parents. On parle ici d'un produit d'exception qui a de plus en plus la cote dans les bars à tapas branchés de New York, San Francisco, Paris ou Londres. Même au Japon, par son mariage étonnant avec les sushis, le xérès se taille une place dans le cœur des amateurs de vins. Soyez tout de même prévenu : avec son caractère oxydatif et son opposition entre richesse des parfums et son profil parfois très sec, c'est un vin qui demande une certaine préparation.

Tio Pepe

**Gonzalez Byass,
Xérès, Espagne**

19,45 $ (750 ml)
★★★ | $$

16 % | 1,3 g/l
Code SAQ 242669

C'est l'un des meilleurs vendeurs à la SAQ. Un fino extra-sec baptisé en l'honneur de l'oncle du fondateur de Gonzalez Byass. L'un des rares xérès offert en format 750 ml à la SAQ. Un nez engageant d'olive verte, de raisin sec, de fumée et de noix. La bouche est ample, presque riche avec, encore une fois, une acidité déstabilisante. C'est long et agréable. Vous pourriez aussi vous en servir pour jazzer votre mojito avec du rhum, du soda, du sucre et de la menthe.

Fino del Puerto Gonzales

**Obregon, Lustau,
Xérès, Espagne**

23,85 $ (500 ml)
★★★★★⌐ | $$$

15 % | n.d. g/l
Code SAQ 12340150

On grimpe en intensité et en définition. Nez énergique, précis, frais comme la mer, avec des notes d'arachide, de sésame grillé et d'olive verte. Bouche déstabilisante par son côté sec à l'os. Matière cristalline, bien droite, presque sans richesse au niveau de la texture, mais on sent que le vin « s'installe » rapidement, tout d'un bloc avec l'aromatique qui prend beaucoup de place. C'est pur, exotique et fascinant par son côté enveloppant. La finale perdure longtemps, évoque des notes de cari jaune, de coquillage, de noisette. Difficile de trouver autant de complexité dans un vin à ce prix. Génial !

Almacenista
Palo Cortado Vides

Lustau, Xérès, Espagne

49 $ (500 ml)
★★★★★ | $$$$ ½

19 % | n.d. g/l
Code SAQ 12365761

La quintessence du xérès. Couleur vieil or-cuivre avec reflets fauves. Nez d'une grande richesse qui peut rappeler de grand tawny : caramel, vanille, baba au rhum, gingembre, rhum épicé, laurier, genévrier. C'est sûrement ici le choc entre l'impression d'avoir du sucre et le côté bien sec du vin qui désta-bilise le dégustateur. La bouche est grasse, ample, mais presque tranchante par son aci-dité. Une finale caressante, fumée et saline, qui s'installe et se déploie par pallier, légère-ment tannique, d'une précision à couper le souffle, à l'aromatique étourdissant et d'une persistance phénoménale. Du grand vin, tout simplement. Disponible en petite quantité. Soyez vigilant !

5 VINS QUI SONT MEILLEURS... LE LENDEMAIN !

PAR
PATRICK
DÉSY

Ça vous est peut-être déjà arrivé. Vous tirez le bouchon d'une bouteille, le plus souvent d'un millésime récent. Supposément bon en plus. Vous portez le verre au nez. Et puis... Et puis, rien. Zéro parfum. Pas plus jasant en bouche. C'est brouillon. Pas de son. Pas de lumière. Rien à voir. Circulez. On a l'impression que le vin nous a posé un lapin. Vous oubliez votre petit bonheur dans la porte du frigo. Le lendemain, vous en reprenez un verre. Et là, surprise ! On dirait que le vin n'est plus le même. Qu'il s'est transformé. Il est plus expressif, des parfums plus précis, plus nuancés. Le désordre en bouche a laissé place à l'harmonie. Bref, le vin est meilleur qu'hier.

Le plus souvent, le vin est renfrogné à cause du soufre qu'on ajoute afin de le protéger. Si on en met trop, ça peut masquer les arômes et restreindre la bouche. Il y a aussi le phéno-mène de réduction qui donne au vin de vilaines odeurs de plastique et de sueur. Avec l'air, le vin se réajuste, redevient lui-même. C'est habi-tuellement un signe de qualité. Voici cinq vins que je vous invite à goûter sur une période de 24 à 48 h. Vous pourrez ainsi constater à quel point ils peuvent se bonifier.

Cabernet de cabernet Origines 2015

**Paul Mas,
Hérault, France**

12,55 $
★★ | $ ½

13,5 % | 4,6 g/l
Code SAQ 11676381

Probablement le vin le moins cher avec lequel vous pouvez tenter l'expérience des «24 h sur le comptoir». En tirant le bouchon, vous avez droit à un nez impossible à apprécier. C'est réduit sans bon sens : sac à poubelle *Made in China*, plastique brûlé, sueur, fromage passé date. La bouche est plus intéressante, mais demeure approximative. Du fruit, de la richesse (le vin a environ 5 g de sucre), des tanins lisses et une acidité basse. Nettement plus équilibré et agréable le lendemain, au nez comme en bouche.

Côtes du Rhône Villages 2015

**Dupéré Barrera,
France**

19,30 $
★★↗ | $$

14 % | 1,7 g/l
Code SAQ 10783088

Le couple franco-québécois Emmanuelle Dupéré et Laurent Barrera se passe pratiquement de présentation tellement il est connu des amateurs d'ici. Et pour cause, leurs vins sont toujours d'un niveau qualitatif élevé. La version 2015 du Côtes du Rhône vous aidera à bien saisir ce que l'on entend par notes de réduction. Après une trentaine de minutes d'aération, on sent le vin prendre vie. Bouteille abandonnée sur le comptoir une nuit complète, le vin s'est montré encore plus convaincant le lendemain. Chapeau !

Riesling
« Vignoble d'E » 2015

Domaine Ostertag, Alsace, France

30 $
★★★⌐ | $$$

13 % | 4,5 g/l
Code SAQ 11459984

À l'ouverture, c'est tout le contraire du vin qui n'a rien à dire. Tonalités envoûtantes d'abricot, de meringue, de jonquille et d'hydrocarbures. La bouche est saillante, matière mûre, acidité finement énergique. Petite amertume en finale et bonne persistance. C'est diablement bon! Est-ce que le vin était meilleur le lendemain? Je dirais plutôt transformé. Il a énormément gagné en volume et en densité de bouche. Bien que moins éclatant au nez, il s'est complexifié en parfums : confiserie, cardamome, muscade, orange confite, aubépine et une impression calcaire plus précise, plus présente. Du parfait riesling d'apéro, il est devenu un superbe camarade de table.

Les Pierres Sèches 2015

Yves Cuilleron, St-Joseph, France

29 $

★★★⌁ | $$$

13 % | 1,8 g/l

Code SAQ 12008245

Passionné et soucieux de produire des vins marqués par leur typicité, Yves Cuilleron effectue des vinifications parcellaires en séparant les vieilles vignes des plus jeunes. Du nom des murs de pierres sèches construits à la main et sans ciment qui servaient à consolider les terrasses des vignes en coteaux, cette cuvée 100 % syrah donne un rouge élégant et sur la retenue. On devine facilement le cépage par ses notes de violette et de poivre concassé, mais aussi un fond de graphite-charbon qui fait ressortir le côté minéral. C'est droit, frais avec des tanins bien dessinés et, surtout, d'une grande digestibilité.

Aidani 2015

Domaine Hatzidakis, Santorin, Grèce

30,25 $
★★★ | $$$

14 % | n.d. g/l
Code SAQ 13110209

Haridimos Hatzidakis, le magicien de
Santorin, nous a malheureusement quitté à
l'été 2017. Il produisait les plus beaux vins de
Grèce. On trouve peu de vin 100 % aidani, un
cépage de «seconde classe» qu'on utilise surtout pour arrondir l'assyrtiko, cépage-roi de
l'île volcanique. Haridimos aimait jouer sur
les limites de la richesse. En cela, il me fait
penser à François Cotat, un vigneron emblématique à Sancerre. Leurs vins possèdent
une formidable capacité de développement
au contact de l'oxygène. Vous pouvez oublier la bouteille une semaine dans le frigo et
ça sera toujours bon, voire meilleur. À l'ouverture, l'Aidani 2015 s'est montré d'un bloc,
pesant et un peu monolithique sur le citron
confit. Au fil des jours, il est devenu floral,
fumé, muscadé, confit et noisetté. Toujours
fringant en bouche. Long. Agréable. Comme
une brise chaude de mer.

5 VINS APRÈS LESQUELS COURIR SI VOUS DÉCIDEZ

de participer au MARATHON...

PAR
PATRICK
DÉSY

Il est généralement reconnu qu'un ou deux verres de vin par jour sont bénéfiques pour la santé. Ils le seront d'autant plus si vous combinez votre consommation avec un peu d'exercice physique. Idéalement, 150 minutes par semaine. C'est ce que révèle une étude publiée récemment dans le *British Journal of Sports Medicine* dont la principale auteure, Karine Perreault, est étudiante au doctorat en santé publique à l'Université de Montréal.

Cela dit, il y a de fortes chances que si vous êtes assez fou pour vous taper un marathon (42,2 km) ou même un demi-marathon (21,1 km), vous risquez d'être à l'eau les jours précédents votre course. Or, vous aurez toutes les raisons du monde de célébrer ensuite en levant un verre à votre exploit et… à votre santé! En attendant le coup de départ, voici cinq vins après lesquels courir.

Les Sorcières 2015

Domaine du Clos des Fées, Côtes du Roussillon, France

18,50 $
★★★ | $$

14 % | 4,7 g/l
Code SAQ 11016016

Hervé Bizeul et son Domaine du Clos des Fées font partie des meilleurs producteurs du Roussillon. C'est du moins ce que vient nous rappeler sa cuvée Les Sorcières dont on sent l'effet de chaleur du millésime 2015 avec un vin plus riche qu'à l'habitude. Dominé par la syrah et complété par le grenache, le carignan et une touche de mourvèdre, le vin offre des parfums envoûtants, une bouche caressante et des tanins suffisamment fermes. C'est sensuel et immensément charmeur. Grande harmonie. Probablement le meilleur Les Sorcières que j'ai dégusté. Bravo !

Lucido 2015

Marco de Bartoli, Terre Siciliane, Italie

20,25 $
★★★ | $$

12 % | 1,3 g/l
Code SAQ 12640603

Un blanc fort original fait à 100 % de catarrato, un cépage qu'on retrouve surtout en Sicile. Le nez est d'abord timide, mais avec un peu d'air, il se révèle précis et séduisant avec ses tonalités de miel, d'abricot, sans oublier un fond calcaire et salin du plus bel effet. La bouche suit et affiche une harmonie impressionnante. Texture d'assez bonne densité, pas grasse, précise, avec un côté enveloppant, presque aérien. C'est savoureux, long avec des parfums de citron confit, de poire et de craie. Digeste, pas immédiatement charmeur, un brin intellectuel. Une superbe découverte. Ne pas servir trop froid.

Les Pins de Camille 2015

Ormarine, Picpoul de Pinet, France

14,50 $
★★⌐|$ ½

13 % | 1,3 g/l
Code SAQ 266064

Un grand classique au répertoire des blancs sous les 15 $. Profitant des largesses de mère Nature, la version 2015 du Omarine est de nouveau une réussite. Toujours aussi droit et vif, il offre une texture plus croquante que dans les millésimes classiques. C'est salin, iodé avec des notes de fleur. Ça se boit comme de l'eau de roche. Compagnon idéal des huîtres. Servir bien frais.

Cuvée Clémence 2014

Domaine de Boissan, Côtes du Rhône Villages Sablet, France

21,55 $
★★★ | $$

13,5 % | 2,5 g/l
Code SAQ 712521

Excellent assemblage de syrah et de grenache donnant un vin aux courbes irrésistibles et aux parfums accrocheurs. C'est à la fois généreux, riche, légèrement capiteux, mais finement structuré et doté d'une étonnante persistance où s'entremêlent des notes de garrigues, de prune et d'épices douces. D'une grave buvabilité, il fera un malheur avec le gibier. Donnez-lui un peu d'air (30 minutes de carafe) pour mieux l'apprécier.

Le Manoir 2014
Alphonse Mellot, Sancerre, France

28,05 $

★★★⌐ | $$$

13 % | 1,6 g/l
Code SAQ 12690686

Les Mellot font du vin depuis plus de 500 ans! L'introduction de cette nouvelle cuvée Le Manoir est le parfait exemple de leur savoir-faire sancerrois. Nez de bonne définition, épanoui, sur des tonalités fines de fleur, de pomme verte, d'agrume et de buis. Bouche d'assez bonne concentration jouxtée par une acidité haute, presque tendue, mais qui reste fine, sans jamais faire grimacer. Finale persistante évoquant l'iode et l'agrume. Une bouteille à ouvrir et à faire respirer impérativement de 30 à 45 minutes avant le service. Le vin pourra tenir sans problème quelques années en cave. Culture bio et biodynamie.

SANCERRE

LE MANOIR

— Récolte 2014 —

PAR

Alphonse Mellot

4 VINS POUR COMPRENDRE CE QU'ON ENTEND PAR « INDICE DE PICOLABILITÉ »

PAR
PATRICK
DÉSY

On dit que la meilleure bouteille, c'est celle qui se termine la première. Au-delà du bio, de la biodynamie ou du «naturel», par-delà le terroir, la conduite de la vigne, les cépages en cause et les techniques de vinification, ce qui importe au final, c'est d'avoir envie d'en boire.

Les bêtes à concours «stéroïdées», c'est beau sur papier, mais une fois dans la réalité de tous les jours, dans le verre, à table, souvent, ça ne passe pas le test. C'est Pierre Jauffret du Château Terre Forte dans le Rhône qui m'a refilé l'expression : l'indice de picolabilité. «La picolabilité, me disait-il, ce n'est pas juste glouglou, étancher la soif. C'est l'impression de picoler sans jamais sans rendre compte tout en entrant en osmose avec le vin.»

Frappato 2016

Tami, Sicile, Italie

19,60 $
★★★ | $$

12,5 % | 2,9 g/l
Code SAQ 11635423

J'aime beaucoup ce que fait Arianna Occhipinti. Une variation légère et énergique du frappato, cépage emblématique de la Sicile. Des parfums axés sur la minéralité (encens, poudre de charbon) avec le fruit (cerise noire, framboise) qui vient après. C'est léger, nourri, vibrant, précis, un poil rustique et diablement élevé sur l'échelle de picolabilité. Versatile, on peut le servir aussi bien avec les poissons et les fruits de mer qu'avec le saucisson et les pâtés. Visez 13–14° Celsius comme température de service.

Cuvée Affinité 2015

Domaine de la Guillotterie, Saumur, France

17,95 $
★★↗ | $$

13 % | 2 g/l
Code SAQ 12259984

Du cabernet franc tout en nuance. Tonalité de cassis, peu végétal, humus, bois mouillé, racine. Bouche convaincante par son côté gouleyant, souple, avec un fruit franc, légèrement tannique, mais le tout reste harmonieux et fort digeste. Finale légèrement épicée. Servir autour de 15° Celsius et l'indice de picolabilité explose !

Gamay 2015

Malivoire, Niagara, Canada

19,50 $
★★★ | $$

12,5 % | 4,6 g/l
Code SAQ 11140498

Du gamay qui «pinotte». Des notes de réduction à l'ouverture (odeurs d'allumette, de soufre) qui se dissipe rapidement. C'est bon signe. Le vin devient vite aguichant et se précise au fur et à mesure de son contact avec l'oxygène. Fraise chaude, réglisse, violette, cèdre. Avec ses 4,6 g de sucre résiduel, le vin paraît juteux, nourri, presque rondelet, mais à la fois énergique, pur et captivant. Du beau glouglou cultivé en bio. Le Niagara ne cesse de m'impressionner. Lui aussi, le servir autour de 14–15° Celsius pour décupler ses forces !

Terre et Ciel 2015

Domaine Thymiopoulos, Macédoine, Grèce

31,25 $
★ ★ ★ ★ I $$$

13,5 % I 3,6 g/l
Code SAQ 11814368

Située au nord-ouest du pays, Naoussa est la première appellation d'origine contrôlée de Grèce à voir le jour en 1971. Seul cépage autorisé, le xinomavro (xino signifiant acide, et mavro, noir) y mûrit à point. Comme le pinot noir, il est limpide et se distingue par le charme de son bouquet. Pareil pour son acidité. Sa structure tannique naturellement puissante, mais aussi fine et enveloppante, le rapproche du nebbiolo avec lequel on fait notamment le barolo. Il se distingue par son côté suave et ses arômes de pâte de tomate et de fumée. La cuvée Terre et Ciel d'Apostoulos Thymiopoulos est le parfait reflet du renouveau à Naoussa. Le 2015 n'a jamais été aussi bon. Une bombe! L'impression de croquer dans une framboise sauvage. Donnez-lui un coup de carafe (une bonne heure), le vin n'en sera que meilleur. Attention : vous risquez de siffler la bouteille beaucoup plus vite que vous ne l'aviez prévu!

75 MEILLEURS VINS à MOINS de 15 $

Cette année, la SAQ nous a rendu la vie plus facile, en multipliant les baisses de prix sur les vins de cette gamme de prix. Le choix de vins à moins de 15 $ s'est donc grandement amélioré, ce qui fait que la liste de cette année accueille des dizaines de nouveaux vins, qui étaient exclus auparavant parce qu'ils se détaillaient à plus de 15 $.

BLANCS

Bottero di Cello 2015

Botter Carlo, Vénétie, Italie

9,80 $, pour 1 L

★★ | $

Code SAQ 430462

11,5 % | 3,4 g/l

La grosse bouteille d'un litre, unique au Bottero, est toujours aussi satisfaisante. Surtout quand on fait le calcul et qu'on réalise que ce vin équivaut à environ 7 $ pour 750 ml. Beaux arômes de fleur blanche, rond en bouche, presque gras, sans grande amplitude, mais à ce prix, quand on a un bon vin, bien fait et sans défaut, on se réjouit.

Vale da Judia, Terras Do Sado 2015

Coop. Agricola de Santo Isidro de Pegõe, Péninsule de Setúbal, Portugal

10 $

★★ | $

12 % | 1,8 g/l

Code SAQ 10513184

Avec ses arômes floraux et de muscat rappelant le raisin frais, ce blanc charme d'abord par ses parfums. En bouche, c'est très sec et tranchant, un peu fuyant, mais somme toute agréable. A-PÉ-RO!

S. de La Sablette 2016

Marcel Martin, Vin de France, France

10,25 $

★★ | $

12 % | 3,7 g/l
Code SAQ 12525234

Un sauvignon de la Loire très sympathique, floral et fruité, avec ce qu'il faut de rondeur pour le rendre agréable. On en redemande.

Aveleda 2016

Quinta da Aveleda, Vinho verde, Portugal

10,70 $

★★ | $

10 % | 16 g/l
Code SAQ 5322

Vous aimez le vinho verde ? Nous aussi. Surtout à ce prix. Servir très frais. C'est le vin de piscine idéal. Arômes d'agrume et de fleur. Demi-sec en bouche, mais sans lourdeur. Bouche ronde et savoureuse.

Torrecorta Organic Pinot Gris Cataratto 2016

Orestiadi Srl, Sicile, Italie

11,10 $ (SAQ Dépôt)

★★ | $

12 % | 2,9 g/l

Code SAQ 12699103

Oubliez l'insipide pinot grigio qui goûte l'eau et qui sent le parfum de toilette. On a ici un joli blanc fruité et rafraîchissant. Le pinot gris est assemblé avec du cataratto, un cépage indigène de l'île de Sicile. Nez aguichant d'abricot, de melon, de poire et de lys avec un fond muscaté. La bouche est ample, vigoureuse et dotée d'une acidité vive. Simple, vraiment pas cher et terriblement efficace lors des journées chaudes d'été. Production biologique. Servir bien frais (autour de 6 à 8° Celsius).

Vina Sol, Catalunya 2016

Torres, Catalogne, Espagne

11,55 $

★★ | $

11,5 % | 2,7 g/l

Code SAQ 28035

Élaboré pour la première fois par Miguel Torres en 1962, ce petit blanc de Catalogne ne cesse de plaire et de surprendre. Issu du parellada – un raisin blanc traditionnel de la région – et de grenache blanc, il se distingue par des arômes de fruit blanc et de fleur d'acacia. Simple et fruité, suffisamment de volume et affichant une finale marquée par les parfums d'agrume, la version 2016 est toujours irréprochable et confirme le savoir-faire de cette vénérable maison espagnole. Difficile de trouver meilleur blanc à ce prix! Servir bien frais (8° Celsius).

Domaine du Tariquet Classic 2016

Château du Tariquet, Côtes de Gascogne, France

11,55 $ | ★★✈| $

10,5 % | 4,2 g/l

Code SAQ 521518

La cuvée « Classic » du domaine du Tariquet, c'est le petit vin blanc d'apéro par excellence. Belle fraîcheur tant au nez qu'en bouche, floral, agrémenté d'arômes de pomme verte. Faible en alcool aussi, fait rarissime par les millésimes qui courent.

Albis 2015

José Maria da Fonseca, Sétúbal, Portugal

11,55 $ | ★★ | $

12 % | 3,1 g/l

Code SAQ 319905

Un blanc portugais parfumé au nez et perlant en bouche (une touche de gaz carbonique résiduel), qui le rend tout à fait rafraîchissant. Idéal servi très frais lors des chaudes journées de canicule.

Pyrène Cuvée Marine 2015

Lionel Osmin, Côtes-de-Goucogne, France

12,30 $ | ★★ | $ ½

12 % | 4,2 g/l

Code SAQ 11253564

Un blanc parufmé aux accents de fruit exotique et de fleur blanche, croquant et rafraîchissant. Belle acidité vive. À servir frais quand il fait chaud.

Planalto 2015

Casa Ferreirinha,
Douro, Portugal

11,55 $
★★┦|$

12,5 % | 1,6 g/l
Code SAQ 13189594

Produit par l'illustre maison Casa Ferreirinha à qui l'on doit le fameux Barca Velha, l'un des plus grands rouges secs du Portugal, ce blanc bien sec et très frais aux parfums de lime, d'abricot et de melon a été l'un de mes coups de cœur lors de mon dernier séjour au Portugal. Servir bien frais (autour de 6 à 8° Celsius) à l'apéro ou avec des calamars frits.

Borsao Blanco Seleccion 2015

Campo de Borja,
Aragon, Espagne

12,55 $
★★ | $ ½

13,5 % | 1,7 g/l
Code SAQ 10856161

Difficile de trouver meilleure aubaine en blanc. Un vin élaboré en parts égales de macabeu et de chardonnay par une excellente coopérative. Un nez simple et accrocheur de lys, de miel et de citron confit. C'est à la fois gras, presque riche, tout en conservant une belle acidité qui donne du tonus et laisse le vin bien sec. Finale savoureuse évoquant des notes grillées. Parfait avec la truite poêlée et les fromages en fin de repas. Servir bien frais, autour de 10° Celsius.

Chaminé blanc 2016

**Cortes de Cima,
Alentejo, Portugal**

12,65 $
★★◢|$ ½

12,5 % | 1,5 g/l
Code SAQ 11156238

Un blanc étonnant qui nous vient du Portugal. On est loin du vinho verde ici. C'est un blanc très bien structuré avec des notes florales et fruitées, une présence en bouche très sentie, avec de la mâche et de la matière. Une aubaine à ce prix.

La Vieille Ferme 2016

**Famille Perrin,
Luberon, France**

13 $
★★◢|$ ½

13 % | 1,8 g/l
Code SAQ 298505

Une nouvelle mouture 2016 pour l'un de mes blancs préférés sous les 15 $. Un assemblage sudiste de bourboulenc, de grenache blanc, d'ugni blanc et de vermentino, encore une fois habilement maîtrisé par la famille Perrin, à qui l'on doit le Château de Beaucastel à Châteauneuf-du-Pape. C'est bien parfumé (pêche, poire, agrume, tilleul), bien sec avec un fruit tendre, du volume et une assez bonne acidité qui rend l'ensemble fort digeste. Servir bien frais (autour de 8 à 10° Celsius) avec poissons et salades estivales.

Les Pins De Camille 2014

Ormarine, Picpoul de Pinet, France

13,10 $
★★⌐ | $ ½

13 % | 1,5 g/l
Code SAQ 266064

Un blanc du Sud de la France, avec des arômes d'agrume et de fleur, rond en bouche et généreux avec une belle vivacité en finale. Digeste et vraiment bien fait.

Masciarelli 2016

Trebbiano d'Abruzzo, Italie

13,25 $
★★⌐ | $ ½

13 % | 2,9 g/l
Code SAQ 12635097

Un vin de soif et de simplicité affichant de la précision et une belle intensité tant sur le plan aromatique qu'en bouche. C'est tendre, presque rond tout en montrant une belle nervosité. Parfait avec les plats de poisson et de fruits de mer. Difficile de trouver aussi bon à si petit prix.

Paranga blanc 2015

**Kir-Yianni,
Macédoine, Grèce**

13,30 $
★★⌐|$ ½

12 % | 1,2 g/l
Code SAQ 13190190

Les vins grecs n'ont pas leur pareil quand vient le temps de trouver un bon rapport qualité-prix-originalité. C'est d'autant plus vrai pour les vins blancs. Prenez celui-ci qui nous vient du nord de la Grèce par un producteur réputé. Le vin repose sur une base de roditis à laquelle s'ajoute du malagousia, deux cépages anciens. Beaucoup d'intensité au nez avec des parfums d'abricot, de mandarine, de jasmin et de poivre blanc. La bouche est ample, presque grasse, mais possède une belle acidité qui rend l'ensemble fort équilibré. Franchement deroutant et surtout fort désaltérant.

Chardonnay 2015

**Château des
Charmes,
Niagara-on-the-
Lake, Canada**

13,50 $
★★ | $ ½

13 % | 3 g/l
Code SAQ 56754

Un chardonnay ontarien assez puissant qui montre de beaux arômes de poire et de vanille. Classique, mais toujours agréable

Petit Chenin Blanc 2016

**Ken Forrester,
Western Cape,
Afrique du Sud**

13,55 $
★★✈ | $ ½

13,5 % | 4,2 g/l
Code SAQ 10702997

Merci à Ken Forrester, pionnier du chenin blanc en Afrique du Sud, qui nous livre une version 2016 absolument irréprochable. Des parfums de fleur blanche, d'herbe, d'agrume, de miel et de pomme verte. Une matière de bonne densité dotée d'une acidité énergique qui donne la vigueur au vin tout en le faisant paraître bien sec. Simple et accrocheur. Servir bien frais.

Passo Blanco 2016

**Masi Tupungato,
Mendoza,
Argentine**

13,55 $
★★✈ | $ ½

12,5 % | 1,3 g/l
Code SAQ 12355431

La vénérable maison vénitienne Masi s'est installée dans la vallée de Tupungato, dans la région de Mendoza, avec le même souci de produire des vins de qualité. Un assemblage de pinot gris et de torrontes donne ici un vin à l'aromatique marqué par des notes de fleur blanche, de muscat, d'abricot et d'épices douces. Bon volume en bouche, le vin est bien sec, assez énergique et floral. C'est simple, bien fait et peu cher. Servir très frais.

Trio Reserva Sauvignon Blanc 2016

Concha y Toro, Casablanca, Chili

13,65 $
★★ | $ ½

13 % | 1,2 g/l
Code SAQ 10327672

Offert à tout petit prix, ce sauvignon chilien de la maison Concha y Toro sera idéal avec le homard vapeur et servi nature avec quelques quartiers de citron. On sent bien justement les parfums d'agrume, de citron et de lime, le tout étant accompagné de petites notes herbacées. Le vin possède une acidité vive, des goûts prononcés et une texture passablement ample. C'est simple, frais et efficace. Le blanc passe-partout pour le homard apprêté de toutes les façons ou presque !

Genoli 2016

Ijalba, Rioja, Espagne

13,90 $
★★↗ | $ ½

13 % | 1,7 g/l
Code SAQ 883033

Le nouveau millésime du Genoli annonce toujours le retour du beau temps ! Un blanc fait à 100 % de viura, cépage appelé macabeu en France. Le 2016 est très agréable. Des parfums bien sentis de fleur, de poire et une touche de miel. À nouveau, on est charmé par l'équilibre entre le côté gras et l'acidité vive donnant au vin un profil à la fois ample et nerveux. C'est sans doute l'un des meilleurs blancs à moins de 15 $.

Verdejo Rueda 2015

**Marques de
Cáceres, Cástille
Léon, Espagne**

12,90 $
★ ↗ | $ ½

13,5 % | 2,3 g/l
Code SAQ 12861609

Un blanc espagnol vif et fringant, avec
un fruité net et des notes herbacées. Pas
intense, mais simple et efficace.

Lolo 2016

**Paco & Lola, Rias
Baixas, Espagne**

14,25 $
★ ★ | $ ½

12,5 % | 2,5 g/l
Code SAQ 13089868

On connaît peu les vins blancs de l'Espagne.
Comme l'albariño, ce cépage qui donne des
vins fringants et goûteux en Galice, dans
la pointe nord-ouest du pays, juste au nord
du Portugal (les Portugais le cultivent aussi sous le nom d'alvarihno). Cet albariño est
produit par la maison Paco y Lola, un domaine moderne, qui produit des vins tout
aussi modernes. Il montre des arômes de melon et d'agrume avec, en bouche, un beau
fruité et un bel équilibre.